New Concept

CHINESE

总 监 制：许 琳

监 制：夏建辉　　戚德祥

　　　　　张彤辉　　顾 蕾　　王锦红

顾 问：[法]白乐桑　　邓守信　　[日]古川裕

　　　　　[美]姚道中　　[英]袁博平

审 订：刘 珣

主 编：崔永华

副主编：张 健

编 者：王亚莉　　刘艳芬　　唐琪佳　　唐娟华

英文翻译：孙玉婷

英文审订：陈春勇

孔子学院总部/国家汉办
Confucius Institute Headquarters(Hanban)

"十二五"国家重点出版物出版规划项目

New Concept
CHINESE

新概念汉语

练习册1

Workbook 1

英语版

崔永华 主编

北京语言大学出版社
BEIJING LANGUAGE AND CULTURE
UNIVERSITY PRESS

使用说明

本书是《新概念汉语》第一册的练习册，配合《新概念汉语》第一册课本学习、使用。

本练习册可以按以下方式使用：

（1）课后使用。学生在复习完课本的内容后，书面完成练习册中的各项练习。

（2）课堂使用。课时充裕的班级，可以在教师指导下完成。这样做的好处是可以提高练习的效率、减少错误、节省学生的时间。

（3）课堂和课后结合使用。课堂上先在教师的指导下口头练习，然后学生在课后书面完成。这样既可以提高练习的效率、减少错误，又可以节省课堂时间。

（4）各项书写练习，有汉字书写能力的学生，尽量用汉字完成；还不具备汉字书写能力的，可以用汉语拼音完成；也可以汉字和汉语拼音混合使用。

本练习册包括以下5种练习内容：

（1）词汇练习

帮助学生复习、巩固本课学习的新词汇。强调对生词的音、形、义的理解、记忆，以及生词的用法。

（2）语法练习

帮助学生复习、巩固本课学习的语法点。学生可以通过自己的思考进行选择、组织、补充，用本课的语法点生成有用的、有意思的短语或句子。

（3）交际练习

主要以对话的形式出现，目的是让学生在不同环境下，练习使用本课学习的词汇、语法和表达方式，进行初步的交际练习，为真实交际打下基础。

（4）汉字练习

每两课有一个汉字书写练习，写三个简单、常用或能体现汉字造字规则的汉字。希望通过这样的书写练习，帮助学生记住一些基本的汉字，了解汉字的结构，逐渐对汉字产生兴趣。建议在书写汉字前，首先复习课本的相关部分，记住汉字的读音、意思和笔画书写顺序，然后练习书写。

（5）任务活动

每两课有一个运用本单元所学表达方式的任务活动。要求学生使用本单元及以前所学的词汇、语法和表达方式，也可以借助词典和其他手段，完成此项任务。任务大都要求以书面形式报告结果。

学好一门外语，必须进行大量的练习。本练习册设计了在不同环境中使用各课学习的词汇、语法、表达方式的练习。所设计的练习内容尽量做到有用、有意思、有意义，使学生通过这些练习，理解、记住、学会使用所学习的内容。

但是请记住一点，练习册中的大部分练习毕竟还是"操练"，学好一种外语最好的途径是"使用"。如果学生能寻找、抓住各种机会，用汉语跟老师、同学、中国人进行真实的交际，汉语一定能学得又快又好。

Guide to the Use of the Workbook

This is Workbook 1 of *New Concept Chinese*, matching Textbook 1.

This workbook can be used in the following ways:

(1) After class: Students do the exercises in the workbook in writing after reviewing what has been learned in the textbook.

(2) In class: For classes with plenty of time, the exercises in the workbook can be completed under the guidance of the teacher, which helps improve efficiency, reduce mistakes, and save students' time.

(3) Both in and after class: Students can first do the exercises orally in class under the guidance of the teacher and then complete them in writing after class, which can improve efficiency, reduce mistakes, and save time in the classroom.

(4) For the written exercises, students capable of writing Chinese characters should try their best to complete them in Chinese characters; students incapable of writing Chinese characters can complete them in Chinese *pinyin*; they can also make a mixed use of Chinese characters and Chinese *pinyin*.

The exercises in this workbook fall into five types as follows:

(1) Vocabulary Exercises

This part helps students review and grasp the new words learned in each lesson, stressing students' understanding and memory of the pronunciation, form and meaning of each new word, as well as its use.

(2) Grammar Exercises

This part helps students review and grasp the grammar points learned in each lesson, enabling them to make choices, organize phrases, add examples and use the grammar points to generate useful and interesting phrases or sentences.

(3) Communicative Exercises

These exercises mainly take the form of dialogues in the hope of helping students use the new words, grammar points and expressions learned in each lesson in different situations and do preliminary communicative exercises to lay a foundation for real-life communication.

(4) Exercises on Chinese Characters

Every two lessons are provided with an exercise on the writing of Chinese characters, including three simple, common characters or characters that embody specific rules of character formation. Such exercise is expected to help students remember some basic Chinese characters, learn the structures of Chinese characters, and gradually develop their interest in Chinese characters. It is recommended that students review the relevant part in the textbook, remember the pronunciation, meaning and order of the strokes of each character before practice writing the character.

(5) Tasks/Activities

Every two lessons are provided with a task or activity for the application of the expressions learned in each unit. Students are supposed to fulfill the task by using the vocabulary, grammar points and expressions learned before in each unit or with the help of a dictionary or other means. Most of the tasks require students to report the results in written form.

Students need to do a great many exercises to learn a foreign language well. This workbook designs exercises on the use of vocabulary, grammar and expressions in different situations. The exercises attempt to present useful, interesting and meaningful content to help students understand, remember and use what they have learned.

Nevertheless, it should be remembered that the majority of the exercises in the workbook are merely drilling practice. The best way to learn a foreign language is to use it. If students can seek and seize every opportunity in real life to communicate in Chinese with their teachers, classmates and other Chinese people, they will learn Chinese fast and well.

目录

Contents

Nǐ jiào shénme míngzi

你叫什么名字

What's your name

一 词汇练习 Vocabulary Exercises

---

1. 连线并朗读。Match the words with their meanings and read them aloud.

nǐ	wǒ	tā	hǎo	shénme	míngzi
你	我	他	好	什么	名字

he, him   good   name   you   I, me   what

2. 选词填空并朗读。Choose a word to fill in each blank and read the sentences aloud.

> jiào   xìng
> a. 叫   b. 姓

Nǐ   shénme míngzi?
(1) 你___a___什么名字?

Nǐ   shénme?
(2) 你_____什么?

Tā   shénme?
(3) 他_____什么?

Wǒ   Lín,   Lín Mù.
(4) 我_____林,_____林木。

Wǒ   Wáng,   Wáng Fāngfāng.
(5) 我_____王,_____王方方。

Tā   Liú, tā   Liú Dàshuāng.
(6) 他_____刘,他_____刘大双。

二 语法练习 Grammar Exercises

---

1. 为括号里的词语选择合适的位置,然后朗读。Choose the proper position for each word in the brackets and then read the sentences aloud.

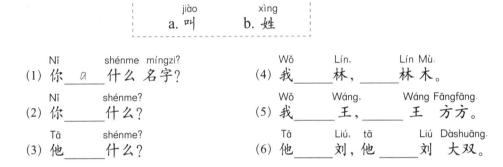

nǐ   jiào   míngzi?   shénme
(1) __a__ 你 __b__ 叫 __c__✓ 名字? (什么)

wǒ   Wáng Fāngfāng.   jiào
(2) __a__ 我 __b__ 王 方方 __c__。 (叫)

tā   jiào   shénme
(3) __a__ 她 __b__ 叫 __c__ ? (什么)

tā   Lín   xìng
(4) __a__ 他 __b__ 林 __c__。 (姓)

xìng   Liú   jiào Liú Xiǎoshuāng. tā
(5) __a__ 姓 __b__ 刘 __c__, 叫刘 小双。 (他)

jiào   shénme   míngzi?   tā
(6) __a__ 叫 __b__ 什么 __c__ 名字? (他)

2. 用下列词语组成句子,然后朗读。Unscramble the words to make sentences and then read the sentences aloud.

jiào   Wáng Fāngfāng   wǒ
(1) 叫   王 方方   我   我叫王方方。/ Wǒ jiào Wáng Fāngfāng.

xìng   tā   Lín
(2) 姓   他   林   _____

        shénme   jiào   nǐ

(3) 什么　　叫　　你 _____

        tā   Liú Xiǎoshuāng   jiào

(4) 他　　刘　小双　　叫 _____

        jiào   míngzi   tā   shénme

(5) 叫　　名字　　他　　什么 _____

        shénme   nǐ   míngzi   jiào

(6) 什么　　你　　名字　　叫 _____

三　交际练习　Communicative Exercise

根据图片完成对话。 Complete the dialogues based on the pictures.

       Nǐ hǎo!　Liú Dàshuāng.

(1) A：你 好！ 刘　大双。

    B：你好！王方方。／

       Nǐ hǎo! Wáng Fāngfāng.

(2) A：_____

     Nín   hǎo!

    B：您 （you, *polite singular*） 好！

     Nǐ jiào shénme míngzi?

    A：你 叫 什么 名字？

    B：_____

(3) A：_____

     Nín hǎo!

    B：您 好！

    A：_____

     Wǒ jiào Liú Xiǎoshuāng.

    B：我 叫 刘　小双。

     Tā xìng shénme?

(4) A：他 姓 什么？

    B：_____

    A：_____

     Tā jiào Liú Dàshuāng.

    B：他 叫 刘　大双。

描写汉字。Trace and copy the characters.

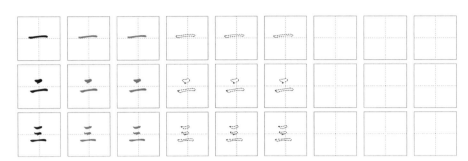

4

Lesson 2

Tā jiào Yáo Míng

他叫姚明

His name is Yao Ming

一 词汇练习 Vocabulary Exercises

1. 给下列词语加拼音并朗读。 Write down the *pinyin* of the following words and read them aloud.

(1) 他 ___tā___   (2) 她 _____   (3) 你 _____   (4) 我 _____

2. 为下列人名分类。 Categorize the following names of people.

Wáng Fāngfāng	Lín Mù	Liú Dàshuāng	Dèng Lìjūn	Lǐ Xiǎolóng
a. 王 方方	b. 林 木	c. 刘 大双	d. 邓 丽君	e. 李 小龙
Yáo Míng	Dīng Shān	Wú Míngyù	Yú Wénlè	Sūn Zhōngpíng
f. 姚 明	g. 丁 山	h. 吴 明玉	i. 于 文乐	j. 孙 中平

(1) 他 ___tā___ _b_____   (2) 她 ___tā___ _____

二 语法练习 Grammar Exercises

1. 对画线部分提问。 Ask a question about the underlined part in each sentence.

Tā jiào Wáng Fāngfāng.
(1) 她叫 <u>王 方方</u>。 → 她叫什么名字？／ Tā jiào shénme míngzi?

Tā jiào Dīng Shān.
(2) 他叫 <u>丁 山</u>。 → _____

Tā jiào Wú Míngyù.
(3) 她叫 <u>吴 明玉</u>。 → _____

Tā xìng Mǎ.
(4) 他姓 <u>马</u>。 → _____

Tā xìng Yú.
(5) 她姓 <u>于</u>。 → _____

Tā xìng Dèng.
(6) 她姓 <u>邓</u>。 → _____

2. 把下列句子翻译成中文，然后朗读。 Translate the following sentences into Chinese and then read them aloud.

(1) What's your name?   你叫什么名字？／ Nǐ jiào shénme míngzi?

(2) What's her name?   _____

(3) His name is Li Xiaolong.   _____

(4) Her name is Deng Lijun.   _____

5

(5) His family name is Ding. _____

(6) Her family name is Wu. _____

交际练习 Communicative Exercise

根据提示完成对话。 Complete the dialogues based on the hints given.

(1) A: Tā jiào shénme míngzi?
      她 叫 什么 名字?

   B: 她叫于文乐。/ Tā jiào Yú Wénlè. _____ Yú Wénlè
                                                        （于文乐）

(2) A: Tā jiào shénme?
      他 叫 什么?

   B: _____ Mǎ Huá
                                          （马华）

(3) A: _____

   B: Tā xìng Sūn.
      他 姓 孙。

(4) A: Tā jiào shénme míngzi?
      他 叫 什么 名字?

   B: _____ Sūn Zhōngpíng
                                          （孙 中平）

(5) A: _____

   B: Tā jiào Wáng Yùyīng.
      她 叫 王 玉英。

(6) A: Tā xìng shénme?
      他 姓 什么?

   B: _____ Yáo
                                          （姚）

任务活动 Task/Activity

把你知道的中国朋友的姓和名填入下表，然后向全班汇报。统计全班的表格，看看其中哪个姓氏最多。Fill in the following form with the family names and given names of your Chinese friends and then report to the whole class. Find out which family name is the most common based on all the forms in your class.

姓 Family Name	名 Given Name
李 / Lǐ	小龙 / Xiǎolóng

Tā shì Zhōngguórén

他是中国人

He is Chinese

一 词汇练习 Vocabulary Exercises

1. 给下列词语加拼音，连线并朗读。Write down the *pinyin* of the following words, match the words with their meanings, and read them aloud.

shì
是　　　　　中国人　　　　　认识　　　　　法国人　　　　　高兴　　　　　很

happy,　　　French　　　Chinese　　　　to be　　　　very, quite　　　to know
glad　　　　(people)　　　(people)

2. 选词填空并朗读。Choose a word to fill in each blank and read the sentences aloud.

	jiào		shì		bù		rènshi		yě
a.	叫	b.	是	c.	不	d.	认识	e.	也

Nà　　　shéi?
(1) 那　_b_　谁？

Nǐ　　　shénme míngzi?
(2) 你_____什么名字？

Lín Mù　　　nǎ guó rén?
(3) 林木_____哪国人？

Liú Dàshuāng　　　shì Měiguórén.
(4) 刘 大双_____是美国人。

nín hěn gāoxìng.
(5) _____您 很 高兴。

Wáng Fāngfāng shì Zhōngguórén. Liú Xiǎoshuāng　　　shì Zhōngguórén.
(6) 王　方方是 中国人，刘 小双_____是 中国人。

二 语法练习 Grammar Exercises

1. 把下列肯定句变成否定句和疑问句，然后朗读。Turn the affirmative sentences into negative and interrogative ones, and then read them aloud.

Tā shì Měiguórén.
(1) 她 是 美国人。

→ 她不是美国人。/ Tā bú shì Měiguórén.

她是哪国人？/ Tā shì nǎ guó rén?

Tā shì Lín Mù.
(2) 他是 林木。

→ _____

Nà shì Wáng Fāngfāng.
(3) 那 是 王 方方。

→ _____

Tā jiào Liú Xiǎoshuāng.
(4) 他 叫 刘 小双。

→ _____

Dàwèi shì Fǎguórén.
(5) 大卫 是 法国人。

→ _____

Zhè shì Dīng Shān, tā shì Zhōngguórén.
(6) 这 是 丁 山，他 是 中国人。

→ _____

2. 用下列词语组成句子，然后朗读。Unscramble the following words to make sentences and then read the sentences aloud.

shéi   nà   shì
(1) 谁   那   是   那是谁？ / Nà shì shéi?

Wáng Fāngfāng Fǎguórén   shì   bù
(2) 王   方方   法国人   是   不   _____

nín   rènshi   hěn   gāoxìng
(3) 您   认识   很   高兴   _____

wǒ   gāoxìng   hěn   yě
(4) 我   高兴   很   也   _____

tā   nǎ guó rén   shì
(5) 他   哪 国 人   是   _____

tā   Zhōngguórén shì   yě
(6) 他   中国人   是   也   _____

三 交际练习 Communicative Exercise

根据课文和实际情况，回答问题。Answer the following questions based on the text of this lesson or the real situations.

Dàwèi shì nǎ guó rén?
(1) 大卫 是 哪 国 人？

Dàwèi rènshi Liú Dàshuāng ma?
(2) 大卫 认识 刘 大双 吗？

Liú Dàshuāng shì Zhōngguórén ma?
(3) 刘 大双 是 中国人 吗？

Nǐ xìng shénme?
(4) 你 姓 什么？

Nǐ jiào shénme míngzi?
(5) 你 叫 什么 名字？

Nǐ shì nǎ guó rén?
(6) 你 是 哪 国 人？

描写汉字。Trace and copy the characters.

工	工	工	工	工	工			
土	土	土	土	土	土			
王	王	王	王	王	王			

Tā shì nǎ guó rén

他是哪国人

What's his nationality

一 词汇练习 Vocabulary Exercises

1. 给下列词语加拼音，连线并朗读。Write down the *pinyin* of the following words, match the words with their meanings, and read them aloud.

Nánfēirén
南非人   德国人   西班牙人   美国人   中国人   法国人

Spanish   South African   French   German   American   Chinese
(people)   (people)   (people)   (people)   (people)   (people)

2. 为下列国家选择相应的国旗。Match the following countries with their flags.

Zhōngguó
中国（ 3 ）

Fǎguó
法国（   ）

Déguó
德国（   ）

Nánfēi
南非（   ）

Xībānyá
西班牙（   ）

Měiguó
美国（   ）

(1)   (2)   (3)

(4)   (5)   (6)

二 语法练习 Grammar Exercises

1. 对画线部分提问。Ask a question about the underlined part in each sentence.

Tā shì Liú Dàshuāng.
(1) 他是 刘 大双。   →   他是谁？ / Tā shì shéi?

Bèiduōfēn shì Déguórén.
(2) 贝多芬是 德国人。   →   _____

Tā jiào Wáng Fāngfāng.
(3) 她叫 王 方方。   →   _____

Tā xìng Lín.
(4) 他姓 林。   →   _____

Tā shì Lín Mù.
(5) 他是 林木。   →   _____

Zhè shì Lín Mù.
(6) 这是 林木。   →   _____

2. 选词填空并朗读。Choose a word to fill in each blank and read the sentences aloud.

> bù　　　yě　　　hěn
> a. 不　　b. 也　　c. 很

　　　　Wǒ　　　　shì Zhōngguórén.
(1) 我 ___a___ 是 中国人。

　　　　Wáng Fāngfāng yě　　　gāoxìng.
(2) 王　方方 也_____高兴。

　　　Tā　　　　xìng Liú,　tā xìng Wáng.
(3) 他 _____ 姓 刘，他 姓 王。

　　　Rènshi nín wǒ　　　gāoxìng.
(5) 认识 您 我 _____高兴。

　　　Liú Dàshuāng shì Zhōngguórén, Liú Xiǎoshuāng　　shì Zhōngguórén.
(4) 刘 大双 是 中国人，刘 小双 _____ 是 中国人。

　　　Yǔguǒ shì Fǎguórén,　Dàwèi　　　shì Fǎguórén.
(6) 雨果是 法国人，大卫 _____ 是 法国人。

三　交际练习　Communicative Exercise

根据图片完成对话。Complete the dialogue based on the pictures.

　　　Tā jiào shénme míngzi?
(1) A：他 叫 什么 名字？

　　B：_____

　　　Tā shì nǎ guó rén?
　　A：他 是 哪 国 人？

　　B：_____

(2) A：_____

　　　Tā jiào Lǐ Xiǎolóng.
　　B：他 叫 李 小龙。

　　A：_____

　　　Tā yě shì Zhōngguórén.
　　B：他 也 是 中国人。

四　任务活动　Task/Activity

回忆课本的内容，用拼音写出下列人物的名字和国籍，并写出完整的对话。Think about the content of this lesson in the textbook, write down the name and nationality of each of the following people in *pinyin*, and then write complete dialogues.

Wáng Fāngfāng					
Zhōngguórén					

对话示例： Dialogue for reference:

A：她是谁？ ／ Tā shì shéi?

B：她是王方方。／ Tā shì Wáng Fāngfāng.

A：王方方是哪国人？ ／ Wáng Fāngfāng shì nǎ guó rén?

B：王方方是中国人。／ Wáng Fāngfāng shì Zhōngguórén.

Nín shì Mù xiānsheng ma
您是木先生吗
Are you Mr. Mu

一　词汇练习　Vocabulary Exercises

1. 连线并朗读。Match the words/expressions with their *pinyin* and meanings and read them aloud.

请问	对不起	没关系	不	再见	先生

méi guānxi	duìbuqǐ	qǐngwèn	zàijiàn	bù	xiānsheng

to be sorry	to see you around	excuse me, may I ask...	Mr., sir	it doesn't matter	no, not

2. 选词填空并朗读。Choose a word/expression to fill in each blank and read the sentences aloud.

ma	yě	qǐngwèn	bù	de	duìbuqǐ	méi guānxi
a. 吗	b. 也	c. 请问	d. 不	e. 的	f. 对不起	g. 没关系

nín xìng Wáng
(1) A: ___c___，您 姓 王 _____？
wǒ bú xìng Wáng, wǒ xìng Liú.
　　 B: _____，我 不 姓 王，我 姓 刘。

Zhè shì nín　　 kuàidì ma?
(2) A: 这 是 您_____快递 吗？
Zhè 　　shì wǒ de kuàidì.
　　 B: 这_____是 我 的 快递。
Zhè shì nín　　 kuàidì ma?
　　 A: 这 是 您_____快递 吗？
Zhè 　　bú shì wǒ de kuàidì.
　　 C: 这_____不 是 我 的 快递。

Duìbuqǐ,　　 Dàwèi.
(3) A: 对不起，大卫。
　　 B: _____。

Dàwèi, nǐ shì Měiguórén
(4) A: 大卫，你 是 美国人_____？
Wǒ 　　shì Měiguórén, wǒ shì
　　 B: 我_____是 美国人，我 是
Fǎguórén.
法国人。

nǐ jiào shénme míngzi?
(5) A: _____，你 叫 什么 名字？
Wǒ jiào Wáng Fāngfāng.
　　 B: 我 叫 王 方方。

Nǐ rènshi Dàwèi
(6) A: 你 认识 大卫_____？
Wǒ 　　rènshi Dàwèi.
　　 B: 我_____认识 大卫。

二　语法练习　Grammar Exercises

1. 把下列句子变成用"吗"的问句，然后朗读。Turn the following sentences into questions with "吗" and then read them aloud.

Zhè shì nín de kuàidì.
(1) 这 是 您 的 快递。　　→　这是您的快递吗？ / Zhè shì nín de kuàidì ma?

Tā shì Mù xiānsheng.
(2) 他 是 木 先生。　　→　_____

Tā shì Zhōngguórén.
(3) 她是中国人。 → _____

Tā jiào Dàwèi.
(4) 他叫大卫。 → _____

Wǒ rènshi Lín Mù.
(5) 我认识林木。 → _____

Zhè shì wǒ de kuàidì.
(6) 这是我的快递。 → _____

2. 把下列句子变成否定句，然后朗读。Turn the following sentences into negative ones and then read them aloud.

Zhè shì wǒ de kuàidì.
(1) 这是我的快递。 → 这不是我的快递。 / Zhè bú shì wǒ de kuàidì.

Tā shì Zhōngguórén.
(2) 他是中国人。 → _____

Tā shì Mù xiānsheng.
(3) 他是木先生。 → _____

Wǒ rènshi Lín Mù.
(4) 我认识林木。 → _____

Tā jiào Liú Dàshuāng.
(5) 他叫刘大双。 → _____

Tā xìng Wáng.
(6) 她姓王。 → _____

三 交际练习 Communicative Exercise

完成下列对话。Complete the following dialogues.

Yóudìyuán:
(1) 邮递员： 这是您的快递吗？ / Zhè shì nín de kuàidì ma?

Lín Mù:
林木： Zhè shì wǒ de kuàidì.
这是我的快递。

Yóudìyuán:
(2) 邮递员： _____, nín jiào Mù Lín ma?
您叫木林吗？

Lín Mù:
林木： _____, wǒ jiào Lín Mù.
我叫林木。

Wáng Fāngfāng: Nǐ shì Liú Xiǎoshuāng ma?
(3) 王方方：你是刘小双吗？

Liú Dàshuāng:
刘大双： _____, wǒ shì Liú Dàshuāng.
我是刘大双。

Wáng Fāngfāng:
王方方： _____

Liú Dàshuāng: Méi guānxi.
刘大双：没关系。

Lín Mù: Nǐ hǎo, wǒ jiào Lín Mù, rènshi nǐ hěn gāoxìng.
(4) 林木：你好，我叫林木，认识你很高兴。

Dàwèi: Nǐ hǎo,
大卫：你好，_____, _____。

Lín Mù: Dàwèi,
林木：大卫，_____？

Dàwèi: Wǒ shì Fǎguórén.
大卫：我是法国人。

15

描写汉字。Trace and copy the characters.

十	十	十	十	十	十			
木	木	木	木	木	木			
林	林	林	林	林	林			

Tā shì Wáng jīnglǐ
他是王经理
He is Manager Wang

一 词汇练习　Vocabulary Exercises

1. 连线并朗读。Match the words with their *pinyin* and meanings and read them aloud.

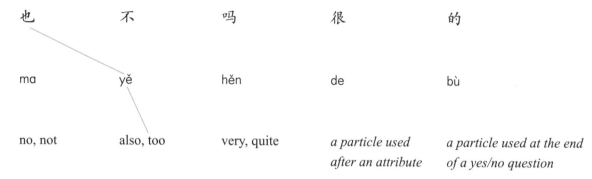

也　　　不　　　吗　　　很　　　的

ma　　yě　　hěn　　de　　bù

no, not　　also, too　　very, quite　　*a particle used after an attribute*　　*a particle used at the end of a yes/no question*

2. 根据英文提示写出学过的称呼语。Write forms of address you've learned based on the English hints.

Lǐ
李 小姐 / xiǎojiě (miss)

Wáng
王＿＿＿＿＿ (Ms.)

Liú
刘＿＿＿＿＿ (Mr.)

Zhāng
张＿＿＿＿＿ (manager)

Mǎ
马＿＿＿＿＿ (doctor)

Dīng
丁＿＿＿＿＿ (teacher)

二 语法练习　Grammar Exercises

1. 为括号里的词语选择合适的位置，然后朗读。Choose the proper position for each word in the brackets and then read the sentences aloud.

Dà wèi　　shì　　Měiguórén　　bù
(1) 大卫 a 是 b 美国人 c 。（不）

nín　　shì Lín jīnglǐ　　ma
(2) ＿a 您 b 是林经理 c ？（吗）

nín　　shì nǎ guó rén　　qǐngwèn
(3) ＿a ，您 b 是哪国人 c ？（请问）

Wǒ　　rènshi　　Zhāng lǎoshī　　bù
(4) 我 a 认识 b 张老师 c 。（不）

nín　　xìng Dīng　　ma qǐngwèn
(5) ＿a ，您 b 姓 丁 c ？（吗　请问）

Zhè　　shì Liú xiǎojiě　　kuàidì　　de ma
(6) 这 a 是刘小姐 b 快递 c ？（的　吗）

---

2. 用下列词语组成句子，然后朗读。Unscramble the words to make sentences and then read the sentences aloud.

(1)
zhè	Liú xiǎojiě	kuàidì	de	shì	bù
这	刘 小姐	快递	的	是	不

这不是刘小姐的快递。 / Zhè bú shì Liú xiǎojiě de kuàidì.

(2)
bù	Wáng nǚshì	tā	shì
不	王 女士	她	是

_____

(3)
bù	Dàwèi	Zhōngguórén	shì
不	大卫	中国人	是

_____

(4)
zhè	kuàidì	de	ma	Zhāng dàifu	shì
这	快递	的	吗	张 大夫	是

_____

(5)
bù	Wáng Fāngfāng	jiào	tā
不	王 方方	叫	她

_____

(6)
yě	Dàwèi	Měiguórén	ma	shì
也	大卫	美国人	吗	是

_____

三 交际练习　Communicative Exercise

根据图片完成对话。Complete the dialogues based on the pictures.

Dàwèi:
大卫：　请问，您是王老师吗？ /

　　　　Qǐngwèn, nín shì Wáng lǎoshī ma?

Wú Míngyù:　　　　　　　　　　　　　　　　wǒ xìng Wú.
吴 明玉：_____，我 姓 吴。

Dàwèi:
大卫：_____

Wú Míngyù:　Méi guānxi.
吴 明玉：没 关系。

Dàwèi:
大卫：_____，_____?

Wáng Yùyīng:　Wǒ shì Wáng Yùyīng.
王 玉英：我 是 王 玉英。

Dàwèi:　　　Nín hǎo, wǒ jiào Dàwèi.
大卫：　您好，我 叫 大卫。

18

Wáng Yùyīng: Nǐ hǎo!
王 玉英：你好！ _____

Dàwèi: Wǒ shì Fǎguórén.
大卫： 我 是 法国人。

Wáng Yùyīng: Rènshi nǐ hěn gāoxìng.
王 玉英：认识 你 很 高兴。

Dàwèi:
大卫： _____

四 任务活动 Task/Activity

想一想本课学过的称呼语，写到对应的图片下面。Think about the forms of address learned in this lesson and write them below the corresponding pictures.

小姐 / xiǎojiě

19

Tā zuò shénme gōngzuò

他做什么工作

What does he do

一 词汇练习　Vocabulary Exercises

- -

1. 给下列词语加拼音，连线并朗读。Write down the *pinyin* of the following words, match the words with their meanings, and read them aloud.

zuò
做　　　　工作　　　　忙　　　　非常　　　　最

job, work　　　to do　　　very much,　　busy　　　most, superlatively
　　　　　　　　　　　　　extremely

2. 根据图片写出人物的职业。Write down the occupations of the people based on the pictures.

(1) 司机 / sījī

(2) _____

(3) _____

(4) _____

(5) _____

(6) _____

二 语法练习　Grammar Exercises

- -

1. 朗读下列句子，并模仿例子画出句中的"A"和"B"。Read aloud the following sentences, and underline "A" and "B" in each sentence after the example.

　　Dīng Shān hěn gāoxìng.
(1) 丁　山　很　高兴。
　　　A　　　　B

　　Mǎ jīnglǐ fēicháng máng.
(2) 马　经理　非常　忙。

　　Wáng lǎoshī hěn hǎo.
(3) 王　老师　很　好。

　　Lǐ xiānsheng bù máng.
(4) 李　先生　不　忙。

Liú Dàshuāng bù gāoxìng.
(5) 刘 大双 不高兴。

Dīng dàifu zuì máng.
(6) 丁 大夫最 忙。

2. 把下列句子变成"V 不 V"的问句，然后朗读。Turn the following sentences into "V 不 V" questions and then read them aloud.

Lín Mù shì Zhōngguórén ma?
(1) 林 木是 中国人 吗？   →   林木是不是中国人？ / Lín Mù shì bu shì Zhōngguórén?

Nǐ lèi ma?
(2) 你 累吗？   →   _____

Tā shì Dàwèi ma?
(3) 他是大卫 吗？   →   _____

Zhāng lǎoshī máng ma?
(4) 张 老师 忙 吗？   →   _____

Nǐ rènshi Wáng Fāngfāng ma?
(5) 你认识 王 方方 吗？   →   _____

Liú Dàshuāng gōngzuò ma?
(6) 刘 大双 工作 吗？   →   _____

三 交际练习 Communicative Exercise

模仿示例描述图中每个人的状态。Describe the appearance of each person in the picture after the example.

提示词语：Words for reference:
Lǐ xiānsheng Zhāng jīnglǐ Wáng xiǎojiě Liú nǚshì
李 先生 张 经理 王 小姐 刘 女士

例：E.g.: 林木很高兴。／ Lín Mù hěn gāoxìng.

四 汉字练习 Exercise on Chinese Characters

描写汉字。Trace and copy the characters.

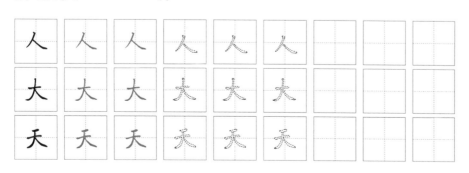

Tā hěn máng

她很忙

She is very busy

 词汇练习 Vocabulary Exercises

1. 给下列词语加拼音，连线并朗读。Write down the *pinyin* of the following words, match the words with their meanings, and read them aloud.

fúwùyuán
服务员   厨师   秘书   运动员   律师   学生

secretary   waiter/waitress   student   chef   athlete   lawyer

2. 写出你学过的表示职业的词语，越多越好。Write down the names of occupations you've learned. The more, the better.

司机 / sījī   _____   _____   _____

_____   _____   _____

语法练习 Grammar Exercises

1. 根据图片和提示写句子，然后朗读。Write sentences based on the pictures and hints, and then read them aloud.

máng
(1) 忙

王方方非常忙。/
Wáng Fāngfāng fēicháng máng.

xīnkǔ
(2) 辛苦

_____
_____

máng
(3) 忙

_____
_____

kuàilè
(4) 快乐

_____
_____

lèi
(5) 累

_____

_____

gāoxìng
(6) 高兴

_____

_____

2. 把下列句子翻译成中文，然后朗读。Translate the following sentences into Chinese and then read them aloud.

(1) What do you do? _____

(2) He is a driver. _____

(3) He is not a doctor; he is a journalist. _____

(4) Is Lin Mu a student? _____

(5) I'm very glad. _____

(6) She is a housewife; she is the busiest. _____

三　交际练习　Communicative Exercise

根据实际情况回答问题。Answer the following questions based on the real situations.

Nǐ shì bu shì xuésheng?
(1) 你 是 不 是 学生?

Nǐ zuò shénme gōngzuò?
(2) 你 做 什么 工作?

Nǐ máng bu máng?
(3) 你 忙 不 忙?

Nǐ bàba   zuò shénme gōngzuò? Tā máng ma?
(4) 你 爸爸 (father) 做 什么 工作? 他 忙 吗?

Nǐ māma   zuò shénme gōngzuò? Tā máng ma?
(5) 你 妈妈 (mother) 做 什么 工作? 她 忙 吗?

Nǐ jiā   shéi zuì máng?
(6) 你 家 (family) 谁 最 忙?

四　任务活动　Task/Activity

想想你的家人或朋友、邻居的职业，填写在下面的表格里，并加以描述。Think about the occupations of your family members, friends or neighbors, fill in the following form and give some descriptions.

人物 Person	职业 Occupation	怎么样 Comment	句子 Sentence
大卫 / Dàwèi	司机 / sījī	很忙 / hěn máng	大卫是司机，他很忙。/ Dàwèi shì sījī, tā hěn máng.

Tāmen   xǐhuan   zuò   shénme

他们喜欢做什么

What do they like doing

一 词汇练习　Vocabulary Exercises

1. 给下列词语加拼音，连线并朗读。Write down the *pinyin* of the following words/phrases, match the words/phrases with their meanings, and read them aloud.

dǎ lánqiú
打篮球　　　　睡觉　　　　上网　　　　唱歌　　　　都　　　　打太极拳　　　　喜欢

both, all   to sing   to practice   to play   to like,   to sleep   to surf
             (songs)   *taijiquan*   basketball   to love   the Internet

2. 在下列词语前面填上合适的动词，然后朗读。Fill in each blank with a proper verb to make a phrase and then read the phrases aloud.

(1) 喜欢/xǐhuan 做 什么 zuò shénme	(2) _____ 中国菜 zhōngguócài	(3) _____ 太极拳 tàijíquán
(4) _____ 上 网 shàng wǎng	(5) _____ 篮球 lánqiú	(6) 不_____ 睡 觉 bù shuì jiào

二 语法练习　Grammar Exercises

1. 根据提示，用"都"描述下列图片。Describe the pictures using "都" based on the hints given.

Zhōngguórén
(1) 中国人

他们都是中国人。/
Tāmen dōu shì Zhōngguórén.

yóudìyuán
(2) 邮递员

_____

_____

máng
(3) 忙

_____

_____

gāoxìng
(4) 高兴

_____

_____

shàng wǎng
(5) 上 网

lèi
(6) 累

_____

_____

_____

_____

2. 用下列词语组成句子，然后朗读。Unscramble the words to make sentences and then read the sentences aloud.

xǐhuan　　zuò　　nǐmen　　shénme
(1) 喜欢　　做　　你们　　什么

你们喜欢做什么？　/　Nǐmen xǐhuan zuò shénme?

tā　　shuì jiào　　xǐhuan
(2) 她　　睡 觉　　喜欢

_____

xǐhuan　　Dàwèi　　chàng gē　　hěn
(3) 喜欢　　大卫　　唱 歌　　很

_____

Dīng Shān　　bù　　dǎ　　xǐhuan　　lánqiú
(4) 丁 山　　不　　打　　喜欢　　篮球

_____

hěn　　wǒmen　　chī　　xǐhuan　　dōu　　fǎguócài
(5) 很　　我们　　吃　　喜欢　　都　　法国菜

_____

xǐhuan　　Zhāng lǎoshī　　bù　　tàijíquán　　dǎ　　xǐhuan
(6) 喜欢　　张 老师　　不　　太极拳　　打　　喜欢

_____

 交际练习　Communicative Exercise

根据实际情况回答问题。Answer the following questions based on the real situations.

Nǐ xǐhuan chī zhōngguócài ma?
(1) 你喜欢吃 中国菜 吗?

Nǐ xǐhuan chī shénme?
(2) 你喜欢吃 什么?

Nǐ xǐhuan shàng wǎng ma?
(3) 你喜欢 上 网 吗?

Nǐ xǐhuan dǎ lánqiú ma?
(4) 你喜欢打篮球 吗?

Nǐ xǐhuan bu xǐhuan chàng gē?
(5) 你喜欢不喜欢 唱 歌?

Nǐ bù xǐhuan zuò shénme?
(6) 你不喜欢做 什么?

汉字练习　Exercise on Chinese Characters

描写汉字。Trace and copy the characters.

也	也	也	也	也	也			
他	他	他	他	他	他			
她	她	她	她	她	她			

Wǒ xǐhuan shàng wǎng

我喜欢上网

I like surfing the Internet

一 词汇练习 Vocabulary Exercises

1. 连线并朗读。Match the words with their *pinyin* and read them aloud.

电视　　茶　　微博　　电影　　音乐　　报纸　　书　　京剧

diànyǐng　　wēibó　　diànshì　　shū　　jīngjù　　chá　　bàozhǐ　　yīnyuè

2. 为下列动词选择合适的搭配。（可多选）Choose the proper collocation(s) for each verb.

> diànshì　　chá　　diànyǐng　　tàijíquán　　shū
> a. 电视　b. 茶　c. 电影　d. 太极拳　e. 书
>
> lánqiú　　bàozhǐ　　wēibó　　jīngjù
> f. 篮球　g. 报纸　h. 微博　i. 京剧

(1) kàn 看 _a_____　　(2) xiě 写_____　　(3) dǎ 打_____　　(4) hē 喝_____

二 语法练习 Grammar Exercises

1. 根据提示，描述下列图片。Describe the following pictures based on the hints given.

（hěn dǎ 很 打）

Mǎ Huá
(1) 马 华 _很喜欢打太极拳 /_
hěn xǐhuan dǎ tàijíquán 。

（dōu kàn 都 看）

Wáng Yùyīng hé Wú Míngyù
(2) 王 玉英 和 吴 明玉 _____
_____。

（bù kàn 不 看）

Dīng Shān
(3) 丁 山 _____。

（dōu chī 都 吃）

Tāmen
(4) 他们 _____。

bù   jiànshēn
(不   健身)

Tā
(5) 她 _____。

hěn   dú
(很   读)

Lǐ lǎoshī
(6) 李老师 _____。

2. 把下列句子翻译成中文，然后朗读。 Translate the following sentences into Chinese and then read them aloud.

(1) Do you like drinking tea?

→ *你喜欢喝茶吗？ / Nǐ xǐhuan hē chá ma?* _____

(2) Manager Zhang likes reading newspapers very much.

→ _____

(3) I like working out, and practicing *taijiquan* as well.

→ _____

(4) We all know Lin Mu.

→ _____

(5) They are journalists. It's a hard job.

→ _____

(6) He is a manager; she is a doctor. Both of them are busy.

→ _____

三 **交际练习** Communicative Exercise

根据图片完成对话。 Complete the dialogue based on the picture.

Qǐngwèn, nǐ zuò shénme gōngzuò?
A：请问，你 做 什么 工作？

B：_____

Nǐ xǐhuan nǐ de gōngzuò ma?
A：你喜欢 你的 工作 吗？

Wǒ bù xǐhuan
B：我 不 喜欢 _____。

Nǐ àiren   zuò shénme gōngzuò?
A：你 爱人 (husband/wife) 做 什么 工作？

Tā shì   Tā yě bù xǐhuan tā de gōngzuò.
B：她 是 _____。她 也 不 喜欢 她的 工作。

Wèi shénme?
A：为 什么 (why) ？

Wǒmen dōu
B：我们 都 _____。

介绍你的几位朋友或同学的爱好，填在下面的表格里，并加以描述。Introduce the hobbies of some of your friends or classmates, fill in the form and give some descriptions.

人物 Name	喜欢 Like	不喜欢 Don't Like	句子 Sentence
杰克 / Jiékè	健身 / jiànshēn	打篮球 / dǎ lánqiú	杰克喜欢健身，不喜欢打篮球。/ Jiékè xǐhuan jiànshēn, bù xǐhuan dǎ lánqiú.

Wǒ yǒu yí ge jiějie

我有一个姐姐

I have an elder sister

一 词汇练习 Vocabulary Exercises

1. **连线并朗读。** Match the words with their *pinyin* and read them aloud.

爸爸　　　　妈妈　　　　哥哥　　　　姐姐　　　　男朋友

gēge　　　　māma　　　　bàba　　　　nánpéngyou　　jiějie

2. **选词填空并朗读。** Choose a word to fill in each blank and read the sentences aloud.

yǒu	méiyǒu	hěn duō	piàoliang
a. 有	b. 没有	c. 很 多	d. 漂亮

Jiějie　　　　nánpéngyou.
(1) 姐姐 _a/b_ 男朋友。

Gēge　　　　yí ge lánqiú.
(4) 哥哥_____一个篮球。

Māma yǒu hěn duō　　　de yīfu.
(2) 妈妈 有 很 多_____的 衣服。

Liú lǎoshī　　　hěn duō xuésheng.
(5) 刘 老师_____很 多 学生。

Bàba yǒu　　　shū.
(3) 爸爸 有_____书。

Wǒ　　　jiějie, wǒ　　　yí ge gēge.
(6) 我_____姐姐，我_____一个哥哥。

二 语法练习 Grammar Exercises

1. **把下列句子变成用"吗"的问句，然后朗读。** Turn the following sentences into questions with "吗" and then read them aloud.

Sūn Zhōngpíng yǒu gēge.
(1) 孙 中平 有哥哥。　　　→ 孙中平有哥哥吗？ / Sūn Zhōngpíng yǒu gēge ma?

Yú Wénlè méiyǒu nánpéngyou.
(2) 于 文乐 没有 男朋友。　　→ _____

Mǎ jīnglǐ méiyǒu mìshū.
(3) 马 经理 没有 秘书。　　　→ _____

Wáng jīnglǐ yǒu sījī.
(4) 王 经理 有 司机。　　　　→ _____

Jiějie yǒu hěn duō piàoliang de yīfu.
(5) 姐姐 有 很 多 漂亮 的 衣服。→ _____

Dàwèi xǐhuan xiě wēibó.
(6) 大卫 喜欢 写 微博。　　　→ _____

2. **把下列句子翻译成中文，然后朗读。** Translate the following sentences into Chinese and then read them aloud.

(1) I have an elder sister.　　　我有一个姐姐。/ Wǒ yǒu yí ge jiějie. _____

(2) I have an elder brother.

　　　　　　　　　　　　　　_____

(3) Do you have an elder brother?

　　　　　　　　　　　　　　_____

(4) My elder sister has a boyfriend.

　　　　　　　　　　　　　　_____

(5) Mr. Lin doesn't have a secretary.

　　　　　　　　　　　　　　_____

(6) My mother doesn't have a job.

　　　　　　　　　　　　　　_____

三 交际练习 Communicative Exercise

根据课文回答问题。Answer the questions according to the text of this lesson.

Wáng Fāngfāng de bàba zuò shénme gōngzuò?
(1) 王 方方 的爸爸做 什么 工作?

Wáng Fāngfāng de bàba máng bu máng?
(2) 王 方方 的爸爸 忙 不 忙?

Wáng Fāngfāng de māma zuò shénme gōngzuò?
(3) 王 方方 的妈妈做 什么 工作?

Wáng Fāngfāng de māma máng bu máng?
(4) 王 方方 的妈妈 忙 不 忙?

Wáng Fāngfāng de jiějie xǐhuan zuò shénme?
(5) 王 方方 的姐姐喜欢做 什么?

Wáng Fāngfāng xǐhuan zuò shénme?
(6) 王 方方 喜欢做 什么?

四 汉字练习 Exercise on Chinese Characters

描写汉字。Trace and copy the characters.

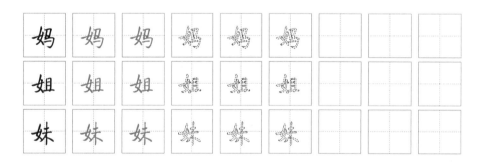

Tā jiā yǒu jǐ kǒu rén

他家有几口人

How many people are there in his family

一 词汇练习 Vocabulary Exercises

1. 写出下列词语的拼音，然后朗读。Write down the *pinyin* of the following words and then read them aloud.

几 ___jǐ___   家_____   口_____   个_____

2. 为下列名词分类。Categorize the following nouns.

> bàba   dàifu   jīnglǐ   gēge   mìshū
> a. 爸爸   b. 大夫   c. 经理   d. 哥哥   e. 秘书
>
> māma   sījī   jiějie   mèimei   lǜshī
> f. 妈妈   g. 司机   h. 姐姐   i. 妹妹   j. 律师

(1) Family members: ___a_____   (2) Occupations: _____

二 语法练习 Grammar Exercises

1. 对画线部分提问。Ask a question about the underlined part in each sentence.

Wáng Fāngfāng yǒu jiějie.
(1) 王 方方 有 姐姐。   → *王方方有没有姐姐？ / Wáng Fāngfāng yǒu méiyǒu jiějie?*

Yú Wénlè yǒu gēge.
(2) 于 文乐 有 哥哥。   → _____

Liú Dàshuāng yǒu yí ge dìdi.
(3) 刘 大双 有 一个 弟弟。 → _____

Wú Míngyù méiyǒu mèimei.
(4) 吴 明玉 没有 妹妹。   → _____

Mǎ Huá yǒu liǎng ge dìdi.
(5) 马 华 有 两个 弟弟。   → _____

Mǎ Huá jiā yǒu wǔ kǒu rén.
(6) 马 华家 有 五 口 人。   → _____

2. 为括号里的词语选择合适的位置，然后朗读。Choose the proper position for each word in the brackets and then read the sentences aloud.

wǒ   mèimei   méiyǒu
(1) ___a___ 我 _b_ 妹妹 ___c___。（没有）

tā   yí ge   dìdi.   yǒu
(2) ___a___ 他 _b_ 一个 ___c___ 弟弟。（有）

Tā   hěn duō   piàoliang   de yīfu ma   yǒu
(3) 她 ___a___ 很 多 ___b___ 漂亮 ___c___ 的 衣服吗？（有）

(4) ___a___ 丁山 ___b___ 有 ___c___ 哥哥？（几个）

Dīng Shān yǒu gēge? jǐ ge

(5) ___a___ 马华 ___b___ 有 ___c___ 姐姐。（两个）

Mǎ Huá yǒu jiějie. liǎng ge

(6) ___a___ 你家 ___b___ 有 ___c___ 人？（几口）

nǐ jiā yǒu rén jǐ kǒu

三 交际练习 Communicative Exercise

根据图片完成对话。Complete the dialogues based on the pictures.

(1) A：林 先生 有 姐姐 吗？
Lín xiānsheng yǒu jiějie ma?

B：林先生有姐姐。/ Lín xiānsheng yǒu jiějie.

A：林 先生 有 几 个 姐姐？
Lín xiānsheng yǒu jǐ ge jiějie?

B：_____

(2) A：刘 小姐 有 弟弟 吗？
Liú xiǎojiě yǒu dìdi ma?

B：_____

A：刘 小姐 有 几 个 弟弟？
Liú xiǎojiě yǒu jǐ ge dìdi?

B：_____

(3) A：张 经理 有 秘书 吗？
Zhāng jīnglǐ yǒu mìshū ma?

B：_____

A：张 经理 有 几 个 秘书？
Zhāng jīnglǐ yǒu jǐ ge mìshū?

B：_____

(4) A：大卫 有 篮球 吗？
Dàwèi yǒu lánqiú ma?

B：_____

A：大卫 有 几 个 篮球？
Dàwèi yǒu jǐ ge lánqiú?

B：_____

34

为你自己写一条个人简介放在社交网站上，包括做什么工作、喜欢做什么、有什么家庭成员等。

Write a brief profile of yourself to post on a social networking site, including information such as what you do for a living, what you like doing and what family members you have.

例：E.g.: 王方方 / Wáng Fāngfāng，学生 / xuésheng，喜欢唱歌 / xǐhuan chàng gē。家里有 爸爸、妈

妈和一个姐姐 / Jiā li yǒu bàba、māma hé yí ge jiějie。

Wǒ de yàoshi zài nǎr

我的钥匙在哪儿

Where is my key

一 词汇练习 Vocabulary Exercises

1. 写出下列词语的拼音，然后朗读。Write down the *pinyin* of the following words and then read them aloud.

(1) husband zhàngfu _____

(2) wife _____

(3) key _____

(4) table _____

(5) sofa _____

(6) telephone _____

2. 选词填空并朗读。Choose a word to fill in each blank and then read the sentences aloud.

pángbiān   shang   xiàbian   li
a. 旁边   b. 上   c. 下边   d. 里

Chá zài zhuōzi
(1) 茶 在 桌子 b 。

Yàoshi zài bàba shǒu
(4) 钥匙 在 爸爸 手 _____ 。

Bàozhǐ zài shāfā
(2) 报纸 在 沙发 _____ 。

Kuàidì zài diànhuà
(5) 快递 在 电话 _____ 。

Lánqiú zài zhuōzi
(3) 篮球 在 桌子 _____ 。

Shū zài yīfu
(6) 书 在 衣服 _____ 。

二 语法练习 Grammar Exercises

1. 把下列肯定句变成否定句，否定句变成肯定句，然后朗读。Turn the affirmative sentences into negative ones and the negative sentences into affirmative ones, and then read them aloud.

Yàoshi zài shāfā shang.
(1) 钥匙 在 沙发 上。   → 钥匙不在沙发上。/ Yàoshi bú zài shāfā shang.

Diànhuà zài zhuōzi shang.
(2) 电话 在 桌子 上。   → _____

Yīfu bú zài shāfā shang.
(3) 衣服 不在 沙发 上。   → _____

Diànshì zài zhuōzi shang.
(4) 电视 在 桌子 上。   → _____

Shāfā bú zài zhuōzi pángbiān.
(5) 沙发 不在 桌子 旁边。   → _____

Lánqiú bú zài zhuōzi xiàbian.
(6) 篮球 不在 桌子 下边。   → _____

2. 模仿例子提问。Ask questions after the example.

Shū zài zhuōzi shang.
(1) 书 在 桌子 上。

→ 书在哪儿? / Shū zài nǎr?   书在不在桌子上? / Shū zài bu zài zhuōzi shang?

Lánqiú zài zhuōzi xiàbian.
(2) 篮球 在 桌子 下边。

→ _____

Bàozhǐ zài diànhuà pángbiān.
(3) 报纸 在 电话 旁边。

→ _____

Chá bú zài zhuōzi shang.
(4) 茶 不在 桌子 上。

→ _____

Shāfā bú zài zhuōzi pángbiān.
(5) 沙发 不在 桌子 旁边。

→ _____

Yàoshi zài zhàngfu shǒu li.
(6) 钥匙 在 丈夫 手里。

→ _____

三 交际练习 Communicative Exercise

根据图片完成对话。 Complete the dialogues based on the pictures.

Bàozhǐ zài bu zài zhuōzi shang?
(1) A：报纸 在 不 在 桌子 上?

B：报纸不在桌子上。／ Bàozhǐ bú zài zhuōzi shang.

Bàozhǐ zài bu zài zhuōzi xiàbian?
A：报纸 在 不 在 桌子 下边?

B：_____

Diànhuà zài bu zài zhuōzi shang?
(2) A：电话 在 不 在 桌子 上?

B：_____

Diànhuà zài bu zài shāfā shang?
A：电话 在 不 在 沙发 上?

B：_____

Shū zài bu zài shāfā shang?
(3) A：书 在 不 在 沙发 上?

B：_____

Shū zài bu zài zhuōzi shang?
A：书 在 不 在 桌子 上?

B：_____

Kuàidì zài bu zài zhuōzi shang?
(4) A：快递在不在桌子上？

B：_____

Kuàidì zài bu zài shāfā pángbiān?
A：快递在不在沙发旁边？

B：_____

四 汉字练习 Exercise on Chinese Characters

描写汉字。Trace and copy the characters.

有	有	有	有	有	有			
友	友	友	友	友	友			
在	在	在	在	在	在			

Bàozhǐ   zài   diànnǎo   pángbiān

报纸在电脑旁边

The newspaper is beside the computer

一 词汇练习   Vocabulary Exercises

1. 给下列词语加拼音，连线并朗读。Write down the *pinyin* of the following words, match the words with their meanings, and read them aloud.

cānzhuō
餐桌　　　　　书柜　　　　　电脑　　　　　衣柜　　　　　椅子

computer　　　　chair　　　　dining table　　　wardrobe　　　bookcase

2. 把下列词语标在图中正确的位置。Put the following words into the proper places in the picture.

shang   shàngbian   xiàbian   zuǒbian   yòubian   qiánbian   hòubian
a. 上 / 上边   b. 下边   c. 左边   d. 右边   e. 前边   f. 后边

二 语法练习   Grammar Exercises

1. 把下列句子变成"V 不 V"的问句，然后朗读。Turn the following sentences into "V 不 V" questions and then read them aloud.

Shū zài shūguì li.
(1) 书 在 书柜里。　　　→　书在不在书柜里？ / Shū zài bu zài shūguì li?

Bàozhǐ zài diànnǎo pángbiān.
(2) 报纸 在 电脑 旁边。　→　_____

Lǐ xiānsheng shì yīshēng.
(3) 李 先生 是 医生。　　→　_____

Jiějie yǒu nánpéngyou.
(4) 姐姐 有 男朋友。　　→　_____

Tā jiào Lín Mù.
(5) 他 叫 林 木。　　　　→　_____

Wáng Fāngfāng xǐhuan chàng gē.
(6) 王 方方 喜欢 唱 歌。→　_____

2. 根据图片写句子，然后朗读。Write sentences based on the pictures and then read them aloud.

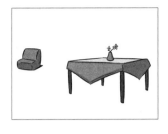

(1) 书在书柜里。／ Shū zài shūguì li.

(4) _____

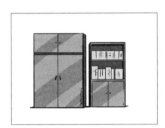

(2) _____

(5) _____

(3) _____

(6) _____

三 交际练习 Communicative Exercise

根据图片完成对话。Complete the dialogues based on the picture.

Māma zài bu zài cānzhuō pángbiān?
(1) A：妈妈 在 不 在 餐桌 旁边？

B：妈妈不在餐桌旁边。／ Māma bú zài cānzhuō pángbiān.

Māma zài bu zài shūguì pángbiān?
A：妈妈 在 不 在 书柜 旁边？

B：_____

Jiějie zài bu zài diànshì qiánbian?
(2) A：姐姐 在 不 在 电视 前边？

B：_____

Jiějie zài bu zài diànhuà pángbiān?
A：姐姐 在 不 在 电话 旁边？

B：_____

(3) A：_____

Bàba bú zài yǐzi shang.
B：爸爸不在椅子上。

A：_____

Bàba zài yǐzi hòubian.
B：爸爸在椅子后边。

(4) A：_____

Dìdi bú zài cānzhuō pángbiān.
B：弟弟不在餐桌 旁边。

A：_____

Dìdi zài cānzhuō xiàbian.
B：弟弟在餐桌 下边。

四 任务活动 Task/Activity

找一张你的房间的照片，介绍房间里的摆设，再说说你认为最理想的房间摆设，然后画下来。
Find a photo of your room, describe its furnishings, talk about your ideal layout for it, and do a drawing of your idea.

Zhè tiáo hóngsè de qúnzi hǎokàn ma

这条红色的裙子好看吗

Does this red dress look good

一 词汇练习 Vocabulary Exercises

1. 给下列词语加拼音，连线并朗读。 Write down the *pinyin* of the following words, match the words with their meanings, and read them aloud.

hóngsè
红色　　白色　　绿色　　蓝色　　黄色　　好看　　没　　怎么样　　穿

to wear　　blue　　green　　how　　red　　yellow　　white　　good-looking　　not

2. 根据提示为物品涂色，然后朗读。 Color the items based on the hints given and then read them aloud.

hóngsè de dàyī
(1) 红色 的 大衣

lǜsè de qúnzi
(2) 绿色 的 裙子

báisè de diànhuà
(3) 白色 的 电话

huángsè de shāfā
(4) 黄色 的 沙发

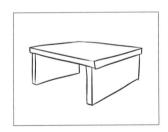

lánsè de zhuōzi
(5) 蓝色 的 桌子

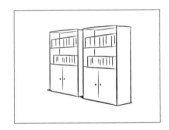

hóngsè de shūguì
(6) 红色 的 书柜

二 语法练习 Grammar Exercises

1. 根据提示完成对话。 Complete the dialogues based on the hints given.

Zhè shì shéi de diànnǎo?
(1) A: 这 是 谁 的 电脑？

bàba
B: 这是爸爸的电脑。／ Zhè shì bàba de diànnǎo. （爸爸）

Zhè shì shéi de yàoshi?
(2) A: 这 是 谁 的 钥匙？

jiějie
B: _____ （姐姐）

(3) A：Zhè shì shéi de kuàidì?
　　这 是 谁 的 快递?

　　B：_____ （林 木） Lín Mù

(4) A：Zhè jiàn hóngsè de qúnzi zěnmeyàng?
　　这 件 红色 的 裙子 怎么样?

　　B：_____ （漂亮） piàoliang

(5) A：Zhège huángsè de shāfā hǎokàn ma?
　　这个 黄色 的 沙发 好看 吗?

　　B：_____ （不 好看） bù hǎokàn

(6) A：Nǐ xǐhuan zhè jiàn lùsè de dàyī ma?
　　你 喜欢 这 件 绿色 的 大衣 吗?

　　B：_____ （喜欢） xǐhuan

2. 用三种方式对下列句子提问。 Ask questions about the following sentences in three ways.

(1) Zhè jiàn hóngsè de dàyī hěn hǎokàn.
这 件 红色 的 大衣 很 好看。

→ 这件红色的大衣好看吗？ / Zhè jiàn hóngsè de dàyī hǎokàn ma?

　　这件红色的大衣好看不好看？ / Zhè jiàn hóngsè de dàyī hǎokàn bu hǎokàn?

　　这件红色的大衣怎么样？ / Zhè jiàn hóngsè de dàyī zěnmeyàng?

(2) Zhè tiáo báisè de qúnzi bù hǎokàn.
这 条 白色 的 裙子 不 好看。

→ _____

(3) Zhè jiàn lùsè de yīfu hěn piàoliang.
这 件 绿色 的 衣服 很 漂亮。

→ _____

(4) Zhège lánsè de diànhuà bù hǎokàn.
这个 蓝色 的 电话 不 好看。

→ _____

(5) Nàge huángsè de shāfā hěn piàoliang.
那个 黄色 的 沙发 很 漂亮。

→ _____

(6) Zhège báisè de yǐzi hěn hǎokàn.
这个 白色 的 椅子 很 好看。

→ _____

三 交际练习 Communicative Exercise

找一张你们家的全家福，根据照片回答问题。Find one of your family photos, and then answer the following questions based on the photo.

Nǐmen zài nǎr?
(1) 你们在哪儿？

Nǐ māma chuān shénme yīfu? Tā de yīfu hǎokàn ma?
(2) 你妈妈穿什么衣服？她的衣服好看吗？

Nǐ bàba de yīfu zěnmeyàng?
(3) 你爸爸的衣服怎么样？

Nǐ bàba xǐhuan zuò shénme?
(4) 你爸爸喜欢做什么？

Nǐ māma xǐhuan zuò shénme?
(5) 你妈妈喜欢做什么？

Nǐ ne?
(6) 你呢？

四 汉字练习 Exercise on Chinese Characters

描写汉字。Trace and copy the characters.

Zhège   huángsè   de   shāfā   hěn   shūfu

这个黄色的沙发很舒服

This yellow sofa is very comfortable

一 词汇练习   Vocabulary Exercises

1. 为下列词语加拼音，并为它们分类。Write down the *pinyin* of the words and categorize all the words.

hóngsè					
a. 红色	b. 白色	c. 绿色	d. 蓝色	e. 黄色	f. 裙子
g. 大衣	h. 件	i. 条	j. 裤子	k. 灰色	l. 双
m. 棕色	n. 鞋	o. 衬衣	p. 旗袍	q. 黑色	

(1) Measure words: _h_____

(2) Clothes: _____

(3) Colors: _____

2. 看图，连线并朗读。Look at the pictures, match the words in the two columns, and read them aloud.

liǎng tiáo
两 条

sān jiàn
三 件

wǔ shuāng
五 双

yí jiàn
一 件

sì tiáo
四 条

liǎng ge
两 个

dàyī
大衣

xié
鞋

qípáo
旗袍

shǒujī
手机

qúnzi
裙子

kùzi
裤子

二 语法练习   Grammar Exercises

1. 对画线部分提问。Ask questions about the underlined part in each sentence.

Zhè jiàn hóngsè de qípáo hěn hǎokàn.
(1) 这 件 红色 的 旗袍 <u>很 好看</u>。

→ 这件红色的旗袍怎么样？好看不好看？ /

Zhè jiàn hóngsè de qípáo zěnmeyàng? Hǎokàn bu hǎokàn?

45

Nà jiàn hēisè de chènyī bù hǎokàn.

(2) 那件 黑色的 衬衣 <u>不 好看</u>。

→ _____

Zhège huángsè de shāfā hěn shūfu.

(3) 这个 黄色的 沙发 <u>很 舒服</u>。

→ _____

Zhè shuāng huīsè de xié bù shūfu.

(4) 这 双 灰色的 鞋 <u>不 舒服</u>。

→ _____

Māma xǐhuan báisè de shǒujī.

(5) 妈妈 <u>喜欢</u> 白色的 手机。

→ _____

Dàwèi xǐhuan zhège zōngsè de lánqiú.

(6) 大卫 喜欢 <u>这个 棕色的 篮球</u>。

→ _____

2. **看图，根据提示写句子，然后朗读。** Look at the pictures, write sentences based on the hints given, and then read the sentences aloud.

nà   piàoliang
（那 漂亮）

(1) <u>那件旗袍很漂亮。/</u>

Nà jiàn qípáo hěn piàoliang.

zhè   bù hǎokàn
（这 不 好看）

(4) _____

nà   hǎo
（那 好）

(2) _____

zhè   bù shūfu
（这 不 舒服）

(5) _____

nà   shūfu
（那 舒服）

(3) _____

nà   fēicháng piàoliang
（那 非常 漂亮）

(6) _____

46

三 交际练习　Communicative Exercise

完成对话。 Complete the dialogue.

Wáng Fāngfāng: Dàwèi, nǐ xǐhuan zhè jiàn lánsè de chènyī ma?
王 方方：大卫，你喜欢这件蓝色的衬衣吗？

Dàwèi: wǒ bù xǐhuan lánsè.
大卫： <u>不 / bù</u>，我不喜欢蓝色。

Wáng Fāngfāng: Zhè jiàn huīsè de chènyī
王 方方：这件灰色的衬衣_____？

Dàwèi: Yě bù xǐhuan.
大卫： 也不喜欢。

Wáng Fāngfāng: Zhè jiàn báisè de chènyī
王 方方：这件白色的衬衣_____？

Dàwèi: Zhè jiàn hěn wǒ hěn xǐhuan.
大卫： 这件很_____，我很喜欢。

Wáng Fāngfāng: Zhè tiáo hēisè de kùzi
王 方方：这条黑色的裤子_____？

Dàwèi: Bù
大卫： 不_____。

Wáng Fāngfāng: Zhè tiáo huīsè de
王 方方：这条灰色的_____？

Dàwèi: Huīsè de kùzi   Báisè de chènyī hé huīsè de kùzi wǒ dōu xǐhuan.
大卫： 灰色的裤子_____。白色的衬衣和灰色的裤子我都喜欢。

四 任务活动　Task/Activity

想想你和家人、朋友喜欢什么颜色以及什么颜色的物品（衣服、生活用品等），填在下面的表格里，并加以描述。尽量使用本单元所学词语和句型。Think about the colors and the items (clothes, articles for daily use, etc.) in those colors you, your family members or your friends like, fill in the form and give some descriptions. Try to use the words, phrases and sentence patterns learned in this unit.

人物 Person	喜欢的颜色 Favorite Color	物品 Item	描述 Description
"我"	红色／ hóngsè	红色的裙子／ hóngsè de qúnzi	我喜欢红色。红色的裙子很好看。／ Wǒ xǐhuan hóngsè. Hóngsè de qúnzi hěn hǎokàn.
爸爸			
妈妈			
哥哥 .			
姐姐			
弟弟			
妹妹			

Chūn Jié   shì   nónglì   Yīyuè   yī   rì

春节是农历1月1日

The Spring Festival is on the first day of the first lunar month

---

一 词汇练习 Vocabulary Exercises

1.给下列词语加拼音，连线并朗读。 Write down the *pinyin* of the following words, match the words with their meanings, and read them aloud.

chuántǒng
传统   节日   元宵节   农历   情人节   中秋节

| festival | Lantern Festival | traditional | Valentine's Day | Mid-Autumn Festival | Chinese lunar calendar |

2.按从大到小的顺序，给下列词语排序。 Put the following words in descending order.

nián   tiān   yuè   xīngqī
a. 年   b. 天   c. 月   d. 星期   _____

二 语法练习 Grammar Exercises

1.用汉语写出下列日期。 Write down the following dates in Chinese.

(1) January 1, 2012   2012 年 1 月 1 日

(2) February 14, 2015   _____

(3) August 10, 2000   _____

(4) December 25, 1998   _____

(5) March 12, 2018   _____

(6) October 1, 2016   _____

2.用汉字写出下列节日的日期。 Write down the dates of the following festivals in Chinese characters.

Chūn Jié
(1) 春 节   农历一月一日

Yuánxiāo Jié
(2) 元宵 节   _____

Zhōngqiū Jié
(3) 中秋 节   _____

Zhōngguó Qíngrén Jié
(4) 中国   情人节   _____

48

根据图片完成对话。Complete the dialogues based on the pictures.

Èr líng yī bā nián Chūn Jié shì jǐ yuè jǐ rì?
(1) A：２０１８年 春 节 是 几月 几日？

　　B：<u>2018 年 2 月 16 日。／ Èr líng yī bā nián Èryuè shíliù rì.</u>

2018.2

日	一	二	三	四	五	六
					1	2	3

日	一	二	三	四	五	六
					1	2	3
4	5	6	7	8	9	10
11	12	13	14	15	16 春节	17
18	19	20	21	22	23	24
25	26	27	28			

Èr líng yī sì nián Yuánxiāo Jié shì jǐ yuè jǐ rì?
(2) A：２０１４年 元宵 节 是 几月 几日？

　　B：_____

2014.2

日	一	二	三	四	五	六
						1
2	3	4	5	6	7	8
9	10	11	12	13	14 元宵节	15
16	17	18	19	20	21	22
23	24	25	26	27	28	

Èr líng yī wǔ nián Zhōngqiū Jié shì nǎ tiān?
(3) A：２０１５年 中秋 节 是 哪 天？

　　B：_____, _____。

2015.9

日	一	二	三	四	五	六
		1	2	3	4	5
6	7	8	9	10	11	12
13	14	15	16	17	18	19
20	21	22	23	24	25	26
27 中秋节	28	29	30			

Èr líng yī qī nián Zhōngguó Qíngrén Jié shì nǎ tiān?
(4) A：２０１７年 中国 情人 节 是 哪 天？

　　B：_____, _____。

2017.8

日	一	二	三	四	五	六
		1	2	3	4	5
6	7	8	9	10	11	12
13	14	15	16	17	18	19
20	21	22	23	24	25	26
27 中国情人节	28	29	30	31		

四　汉字练习　Exercise on Chinese Characters

描写汉字。Trace and copy the characters.

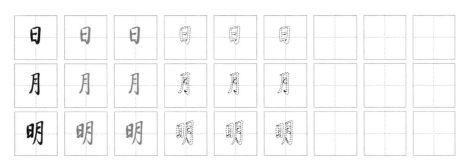

Lesson 18

Yuánxiāo Jié shì jǐ yuè jǐ rì
元宵节是几月几日
When is the Lantern Festival

 一 词汇练习 Vocabulary Exercises

1. 给下列词语加拼音，连线并朗读。Write down the *pinyin* of the following words, match the words with their meanings, and read them aloud.

Láodòng Jié
劳动节　　　　复活节　　　　父亲节　　　　母亲节　　　　圣诞节

Father's Day　　May Day　　Christmas Day　　Easter　　Mother's Day

2. 补出空缺的词语。Write down the missing words.

Xīngqīyī　　　　　　Xīngqīsān　　　　　　Xīngqīwǔ
星期一 _____　　星期三 _____　　星期五 _____ _____

 二 语法练习 Grammar Exercises

1. 根据图片说句子，然后写下来。Talk about the pictures and then write the sentences down.

Wǔyuè yī rì
(1) 5 月 1 日

劳动节是五月一日。/

Láodòng Jié shì Wǔyuè yī rì.

Shí'èryuè èrshíwǔ rì
(2) 12 月　25 日

_____

_____

Èryuè shísì rì
(3) 2 月　14 日

_____

_____

Èr líng yī sān nián Wǔyuè shí'èr rì
(4) 2 0 1 3 年 5 月　12 日

2013年的母亲节是五月十二日，星

期日。/ Èr líng yī sān nián de Mǔqīn Jié shì

Wǔyuè shí'èr rì, Xīngqīrì.

Èr líng yī bā nián Liùyuè shíqī rì
(5) 2 0 1 8 年 6 月 17 日

Èr líng yī sì nián Sìyuè èrshí rì
(6) 2 0 1 4 年 4 月 20 日

2. 把下列句子翻译成中文，然后朗读。Translate the following sentences into Chinese and then read them aloud.

(1) The Spring Festival will fall on February 8th in 2016.

二〇一六年春节是二月八号。 / Èr líng yī liù nián Chūn Jié shì Èryuè bā hào.

(2) Father's Day fell on June 16th in 2013.

(3) Mother's Day fell on May 11th in 2014.

(4) Christmas will fall on a Friday next year.

(5) Easter will fall on Sunday.

(6) Mid-Autumn Day will fall on September 27th in 2015.

三 交际练习 Communicative Exercise

根据实际情况回答问题。Answer the following questions based on the real situations.

Jīnnián Chūn Jié shì jǐ yuè jǐ rì? Xīngqī jǐ?
(1) 今年 春节 是几月几日？星期几？

Nǐ de shēngrì   shì jǐ yuè jǐ rì?
(2) 你的 生日 (birthday) 是几月几日？

Nǐ bàba de shēngrì shì jǐ yuè jǐ rì?
(3) 你爸爸的 生日是几月几日？

Nǐ māma de shēngrì shì jǐ yuè jǐ rì?
(4) 你妈妈的 生日是几月几日？

Nǐ zuì hǎo de péngyou   de shēngrì shì jǐ yuè jǐ rì?
(5) 你最好的 朋友 (best friend) 的 生日 是几月几日？

Jīntiān   shì jǐ yuè jǐ rì? Xīngqī jǐ?
(6) 今天 (today) 是几月几日？星期几？

把今年的重要节日和纪念日填在下面的表格里。Fill in the following form with the important festivals and commemorative days of this year.

节日 / 纪念日 Festival/Commemorative Day	几月几日 Date	星期几 Day of the week
春节	一月三十一日 / Yīyuè sānshíyī rì	星期五 / Xīngqīwǔ
元宵节		
情人节		
"我" 的生日 (birthday)		
爸爸的生日		
妈妈的生日		

Lesson 19

Xiànjīn   háishi   shuā   kǎ

现金还是刷卡

Would you like to pay by cash or card

一 词汇练习 Vocabulary Exercises

---

1. 给下列词语加拼音，将意思相关的词语连线并朗读。Write down the *pinyin* of the following words/phrases, match the words/phrases that are semantically related, and read them aloud.

là
辣   热   刷卡   大杯   小碗   豆浆

凉   大碗   小杯   茶   不辣   现金

2. 选词填空并朗读。Choose a word to fill in each blank and then read the sentences aloud.

bēi	kuài	wǎn	dà	xiǎo	rè	liáng	là
a.杯	b.块	c.碗	d.大	e.小	f.热	g.凉	h.辣

Yígòng èrshíwǔ
(1) 一共 二十五 ___b___ 。

Yào dà bēi de háishi   bēi de?
(2) 要 大杯 的 还是 _____杯 的?

Sì   miàntiáor hé yì   dòujiāng.
(3) 四_____面条儿 和 一_____豆浆。

Zhè   miàntiáor hěn
(4) 这_____面条儿 很_____。

Yào   de (dòujiāng) háishi   de (dòujiāng)?
(5) 要_____的（豆浆）还是_____的（豆浆）?

Yào   wǎn de (miàntiáor) háishi   wǎn de (miàntiáor)?
(6) 要_____碗 的（面条儿）还是_____碗 的（面条儿）?

二 语法练习 Grammar Exercises

---

1. 用下列词语组成句子，然后朗读。Unscramble the words/phrases to make sentences and then read the sentences aloud.

yào liǎng miàntiáor wǒ wǎn
(1) 要 两 面条儿 我 碗　　　　　我要两碗面条儿。/ Wǒ yào liǎng wǎn miàntiáor.

dà bēi de xiǎo bēi de yào háishi nín
(2) 大杯的 小杯的 要 还是 您　　_____

chá Dàwèi yào háishi dòujiāng
(3) 茶 大卫 要 还是 豆浆　　_____

xǐhuan nǐ rè de liáng de háishi
(4) 喜欢 你 热的 凉的 还是　　_____

zài wǒ yào liǎng wǎn miàntiáor
(5) 再 我 要 两 碗 面条儿　　_____

yào Wáng Fāngfāng yì bú là de wǎn
(6) 要 王 方方 一 不辣的 碗　　_____

2. 模仿例子改写句子。 Rewrite the sentences after the example.

Nǐ yào miàntiáor ma?　Nǐ yào dòujiāng ma?
(1) 你要 面条儿 吗? 你要 豆浆 吗?

→ 你要面条儿还是豆浆? ／ Nǐ yào miàntiáor háishi dòujiāng?

Nǐ hē chá ma?　Nǐ hē dòujiāng ma?
(2) 你喝茶吗? 你喝 豆浆 吗?

→ _____

Jīntiān shì Xīngqīyī ma?　Jīntiān shì Xīngqī'èr ma?
(3) 今天 是 星期一 吗? 今天 是 星期二 吗?

→ _____

Jīnnián Fùhuó Jié shì Sìyuè shíjiǔ hào ma?　Jīnnián Fùhuó Jié shì Sìyuè èrshí hào ma?
(4) 今年 复活节 是 4月 19 号 吗? 今年 复活 节 是 4月 20 号 吗?

→ _____

Nǐ xǐhuan qúnzi ma?　Nǐ xǐhuan qípáo ma?
(5) 你喜欢裙子 吗? 你喜欢 旗袍 吗?

→ _____

Bàozhǐ zài diànnǎo pángbiān ma?　Bàozhǐ zài diànshì pángbiān ma?
(6) 报纸 在 电脑 旁边 吗? 报纸 在 电视 旁边 吗?

→ _____

三　交际练习 Communicative Exercise

看图，模仿课文完成对话。 Look at the picture, and complete the dialogue using the text of this lesson as a model.

Fúwùyuán:　Nín hǎo, nín yào shénme?
服务员: 您 好, 您 要 什么?

Wáng Fāngfāng:
王　方方: _____

Fúwùyuán:
服务员: _____

Wáng Fāngfāng: Liǎng ge dà wǎn de.
王　方方: 两 个 大 碗 的, _____。

Fúwùyuán:　Là de háishi　　　　de?
服务员: 辣 的 还是_____的?

Wáng Fāngfāng: Yì wǎn là de.
王　方方: 一 碗 辣 的, _____。

Wáng Fāngfāng: Wǒ zài yào sān bēi dòujiāng.
王　方方: 我 再 要 三 杯 豆浆。

Fúwùyuán:　Yào　　　　de háishi liáng de?
服务员: 要_____的 还是 凉 的?

Wáng Fāngfāng: Yì bēi　　　　　　　　　　　　liáng de.
王　方方: 一 杯 _____, _____凉 的。

Fúwùyuán:　Yào dà bēi de háishi　　　　de?
服务员: 要 大 杯 的 还是_____的?

Wáng Fāngfāng:
王　方方：＿＿＿＿＿＿＿＿＿＿　dà bēi de. dōu
大 杯 的。（都）

Fúwùyuán:　Yígòng yìbǎisìshí kuài.
服务员：　一共 一百四十 块。＿＿＿＿＿＿＿＿＿＿＿＿？

Wáng Fāngfāng: Shuā kǎ.
王　方方：刷 卡。

四 汉字练习　Exercise on Chinese Characters

描写汉字。Trace and copy the characters.

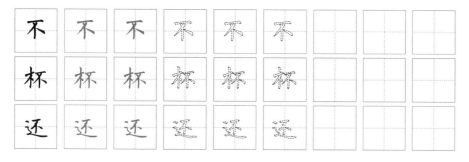

Nín yào dà de háishi xiǎo de
您要大的还是小的
Do you want a big one or a small one

 词汇练习 Vocabulary Exercises

---

1. 给下列词语加拼音，连线并朗读。Write down the *pinyin* of the following words, match the words with their meanings, and read them aloud.

tián
甜　　汉堡　　饺子　　可乐　　咖啡　　米饭　　比萨饼　　咸　　水

salty　　cola　　coffee　　cooked rice　　pizza　　hamburger　　Chinese dumplings　　water　　sweet

2. 为下列食物选择量词和修饰语。Choose a measure word and modifier for each of the following food.

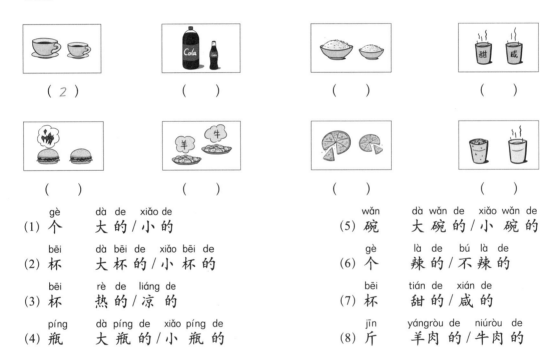

(2)　　　　　　(　　)　　　　　　(　　)　　　　　　(　　)

(　　)　　　　　　(　　)　　　　　　(　　)　　　　　　(　　)

gè　　dà de　xiǎo de
(1) 个　　大的 / 小的

bēi　　dà bēi de　xiǎo bēi de
(2) 杯　　大杯的 / 小杯的

bēi　　rè de　liáng de
(3) 杯　　热的 / 凉的

píng　　dà píng de　xiǎo píng de
(4) 瓶　　大瓶的 / 小瓶的

wǎn　　dà wǎn de　xiǎo wǎn de
(5) 碗　　大碗的 / 小碗的

gè　　là de　bú là de
(6) 个　　辣的 / 不辣的

bēi　　tián de　xián de
(7) 杯　　甜的 / 咸的

jīn　　yángròu de　niúròu de
(8) 斤　　羊肉的 / 牛肉的

 语法练习 Grammar Exercises

---

1. 选词填空并朗读。Choose a word to fill in each blank and read the sentences aloud.

wǎn　　　　gè　　　　jīn　　　　píng　　　　bēi
a. 碗　　b. 个　　c. 斤　　d. 瓶　　e. 杯

Wǒ yào liǎng　　　　rè dòujiāng.
(1) 我 要 两___*e*___热 豆浆。

Wáng Fāngfāng yào yì　　　　miàntiáor.
(2) 王 方方要一_____面条儿。

Dàwèi yào yí　　　　dà de bǐsàbǐng.
(3) 大卫 要 一_____大的 比萨饼。

<pre>
        Ālǐ   yào sān   xiǎo de、 bú là de hànbǎo.
</pre>
(4) 阿里要三_____小的、不辣的汉堡。

<pre>
        Lín Mù yào yì   yángròu jiǎozi.
</pre>
(5) 林木要一_____羊肉 饺子。

<pre>
        Tāmen yào yì   kělè、liǎng   xián dòujiāng.
</pre>
(6) 他们要一_____可乐、两_____咸 豆浆。

2. 模仿例子改写句子。Rewrite the sentences after the example.

<pre>
         Nǐ yào tián de dòujiāng háishi xián de dòujiāng?
</pre>
(1) A：你要甜的 豆浆 还是 咸 的 豆浆？

<pre>
         Wǒ yào tián de dòujiāng.
</pre>
    B：我要甜的 豆浆。　　　　　　　→ 我要甜的。/ Wǒ yào tián de.

<pre>
         Nǐ yào dà de hànbǎo háishi xiǎo de hànbǎo?
</pre>
(2) A：你要大的汉堡还是 小的汉堡？

<pre>
         Wǒ yào xiǎo de hànbǎo.
</pre>
    B：我要小的汉堡。　　　　　　　→ _____

<pre>
         Wáng Fāngfāng xǐhuan chī yángròu de jiǎozi háishi niúròu de jiǎozi?
</pre>
(3) A：王　方方喜欢吃 羊肉 的 饺子还是 牛肉 的 饺子？

<pre>
         Wáng Fāngfāng xǐhuan chī yángròu de jiǎozi.
</pre>
    B：王　方方 喜欢吃 羊肉 的 饺子。 → _____

<pre>
         Ālǐ   xǐhuan báisè de chènyī háishi huángsè de chènyī?
</pre>
(4) A：阿里喜欢白色的 衬衣还是 黄色 的 衬衣？

<pre>
         Ālǐ   xǐhuan báisè de chènyī.
</pre>
    B：阿里喜欢白色的 衬衣。　　　　→ _____

<pre>
         Zhè shì shéi de kuàidì?
</pre>
(5) A：这 是 谁 的 快递？

<pre>
         Zhè shì Lín Mù de kuàidì.
</pre>
    B：这 是 林木 的 快递。　　　　　→ _____

<pre>
         Nà shì shéi de diànnǎo?
</pre>
(6) A：那是 谁 的 电脑？

<pre>
         Nà shì Dàwèi de diànnǎo.
</pre>
    B：那是 大卫 的 电脑。　　　　　→ _____

三 交际练习　Communicative Exercise

根据实际情况回答问题。Answer the following questions based on the real situations.

<pre>
        Nǐ xǐhuan hē kělè háishi kāfēi?
</pre>
(1) 你 喜欢 喝 可乐 还是 咖啡？

<pre>
        Nǐ yǒu jiějie háishi mèimei? Yǒu gēge háishi dìdi?
</pre>
(2) 你 有 姐姐 还是 妹妹？ 有 哥哥 还是 弟弟？

<pre>
        Nǐ xǐhuan chī hànbǎo ma? Xǐhuan là de háishi bú là de?
</pre>
(3) 你 喜欢 吃 汉堡 吗？ 喜欢 辣 的 还是 不辣 的？

<pre>
        Nǐ xǐhuan huángsè de shāfā háishi báisè de shāfā?
</pre>
(4) 你 喜欢 黄色 的 沙发还是 白色 的 沙发？

<pre>
        Nǐ xǐhuan chuān dàyī ma? Xǐhuan báisè de háishi hēisè de?
</pre>
(5) 你 喜欢 穿 大衣 吗？ 喜欢 白色 的 还是 黑色 的？

<pre>
        Nǐ xǐhuan shuā kǎ háishi fù   xiànjīn?
</pre>
(6) 你 喜欢 刷 卡 还是 付 (to pay) 现金？

假设你在一家快餐店点餐，用下列词语完成你和服务员之间的对话。Suppose you are ordering food in a fast food restaurant. Complete the dialogue between the waiter/waitress and you using the following words.

miàntiáor	mǐfàn	jiǎozi	yángròu	niúròu	hànbǎo	bǐsàbǐng	dà
面条儿	米饭	饺子	羊肉	牛肉	汉堡	比萨饼	大

xiǎo	wǎn	là	bú là	kāfēi	kělè	dòujiāng	niúnǎi	shuǐ
小	碗	辣	不辣	咖啡	可乐	豆浆	牛奶	水

bēi	píng	rè	liáng	tián	xián
杯	瓶	热	凉	甜	咸

Fúwùyuán:
服务员：您 好，_____？
Nín hǎo,

"Wǒ":
"我"： _____

Fúwùyuán:
服务员：您 要 _____？
Nín yào

"Wǒ":
"我"： _____

Fúwùyuán:
服务员： _____

"Wǒ":
"我"： _____

"Wǒ": Zài yào
"我"：再 要 _____。

Fúwùyuán:
服务员： _____

"Wǒ":
"我"： _____

Fúwùyuán: Yígòng
服务员：一共 _____，_____？

"Wǒ":
"我"： _____

Píngguǒ duōshao qián yì jīn

苹果多少钱一斤

How much is half a kilo of apples

一 词汇练习 Vocabulary Exercises

---

1. 连线并朗读。Match the words with their *pinyin* and meanings and read them aloud.

西红柿	钱	姑娘	草莓	苹果	姑妈

gūniang	xīhóngshì	cǎoméi	qián	gūmā	píngguǒ

girl, young lady	apple	tomato	money	aunt	strawberry

2. 选词填空并朗读。Choose a word to fill in each blank and read the phrases aloud.

shuāng	jiàn	jīn	wǎn	gè	hé	píng	tiáo
a. 双	b. 件	c. 斤	d. 碗	e. 个	f. 盒	g. 瓶	h. 条

(1) 一 _f_ 咖啡 (yì kāfēi) (2) 两 ___ 大衣 (liǎng dàyī) (3) 三 ___ 裙子 (sān qúnzi) (4) 四 ___ 水 (sì shuǐ)

(5) 五 ___ 饺子 (wǔ jiǎozi) (6) 六 ___ 面条儿 (liù miàntiáor) (7) 七 ___ 手机 (qī shǒujī) (8) 八 ___ 鞋 (bā xié)

二 语法练习 Grammar Exercises

---

1. 根据下列句子，用"多少钱""什么""哪儿""哪""怎么样"提问。 Ask questions using "多少钱"，"什么"，"哪儿"，"哪"，or "怎么样" based on the following sentences.

Tā jiào Wáng Fāngfāng.
(1) 她 叫 王 方方。 → 她叫什么名字？ / Tā jiào shénme míngzi?

Zhè tiáo lánsè de qúnzi hěn hǎokàn.
(2) 这 条 蓝色的 裙子 很 好看。 → _____

Dàwèi shì Fǎguórén.
(3) 大卫 是 法国人。 → _____

Cǎoméi shíbā kuài qián yì hé.
(4) 草莓 十八 块 钱 一盒。 → _____

Shū zài zhuōzi shang.
(5) 书 在 桌子 上。 → _____

Miàntiáor yì wǎn shíwǔ kuài.
(6) 面条儿一 碗 十五 块。 → _____

2. 把下列句子翻译成中文，然后朗读。Translate the following sentences into Chinese and then read them aloud.

(1) How much is a glass of soybean milk?

豆浆多少钱一杯？ / Dòujiāng duōshao qián yì bēi?

---

(2) Why did you call her *guma*?

_____

(3) A: 10.5 *kuai* altogether.　B: Here you are.　A: Thank you.

_____

(4) I want half a kilo of apples and two boxes of strawberries.

_____

(5) A: How much is half a kilo of tomatoes?　B: 4 *kuai*.

_____

(6) 10 *kuai* half a kilo.

_____

三　交际练习　Communicative Exercise

根据图片完成对话。Complete the dialogues based on the pictures.

(1)　Píngguǒ duōshao qián yì jīn?
　　A: 苹果　多少　钱一斤?

　　B: 苹果六块一斤。/ Píngguǒ liù kuài yì jīn.

　　A: _____

　　　Shí'èr.
　　B: 十二。

(2)　A: _____

　　　Wǒ yào yì jīn xīhóngshì,
　　B: 我　要　一斤　西红柿, _____。

　　A: _____

　　　Xièxie.
　　B: 谢谢。

(3)　Nín yào shénme?
　　A: 您　要　什么?

　　　Wǒ yào yì bēi dòujiāng. Duōshao qián yì bēi?
　　B: 我　要　一杯　豆浆。多少　钱一杯?

　　A: _____

　　　Zài yào
　　B: 再要 _____。

　　　Yígòng
　　A: 一共 _____。_____?

　　　Xiànjīn.
　　B: 现金。

(4) A：_____

B：六　块　钱　一　斤。
Liù kuài qián yì jīn.

Xīhóngshì yì jīn duōshao qián?
A：西红柿 一 斤 多少 钱?

B：_____

Cǎoméi duōshao qián yì hé?
A：草莓 多少 钱 一 盒?

B：_____

四 **汉字练习** Exercise on Chinese Characters

描写汉字。Trace and copy the characters.

口	口	口	口	口	口			
名	名	名	名	名	名			
多	多	多	多	多	多			

Xiāngjiāo   zěnme   mài

香蕉怎么卖

How much are the bananas

一 词汇练习 Vocabulary Exercises

1. 写出学过的食品词。Write down the names of foods you've learned.

Fruits: 苹果 /píngguǒ _____ _____ _____ _____

Snacks: _____ _____ _____ _____ _____

Drinks: _____ _____ _____ _____ _____

Others: _____ _____ _____ _____ _____

2. 选词填空并朗读。Choose a word/words to fill in each blank and read the phrases aloud.

	hé a. 盒	wǎn b. 碗	gōngjīn c. 公斤	píng d. 瓶	gè e. 个	jīn f. 斤	bēi g. 杯

yí   hànbǎo   liǎng   mǐfàn   sān   píngguǒ   sì   cǎoméi
(1) 一 _e_ 汉堡   (2) 两 ____ 米饭   (3) 三 ____ 苹果   (4) 四 ____ 草莓

wǔ   kělè   liù   dòujiāng   qī   nǎilào   bā   xīhóngshì
(5) 五 ____ 可乐   (6) 六 ____ 豆浆   (7) 七 ____ 奶酪   (8) 八 ____ 西红柿

二 语法练习 Grammar Exercises

1. 根据图片提问并问答。Ask questions based on the pictures and answer them.

(1) A: 草莓怎么卖？／草莓多少钱一斤？ _____

   Cǎoméi zěnme mài? / Cǎoméi duōshao qián yì jīn?

   B: 十二块钱一斤。/ Shí'èr kuài qián yì jīn.

(2) A: _____

   B: _____

(3) A: _____

　　 B: _____

(4) A: _____

　　 B: _____

(5) A: _____

　　 B: _____

(6) A: _____

　　 B: _____

2. 读出下面的钱数，并写出拼音。 Read the following amounts of money, and write down the *pinyin*.

(1) 32 块 ___sānshí'èr kuài___

(2) 201 块 _____

(3) 4.5 元 _____

(4) 10.2 元 _____

(5) 5.06 元 _____

(6) 8.81 元 _____

三 交际练习　Communicative Exercise

根据提示完成对话。 Complete the dialogues based on the hints given.

(1) A: 苹果多少钱一斤？／苹果怎么卖？

　　　Píngguǒ duōshao qián yì jīn? / Píngguǒ zěnme mài?

　　　Píngguǒ wǔ kuài qián yì jīn.
　　 B: 苹果 五 块 钱 一 斤。

A：_____ ^{ne}（呢）

Cǎoméi shí kuài qián yì jīn.
B：草莓 十 块 钱 一 斤。

(2) A：Wǒ yào liǎng jīn píngguǒ、 yì jīn cǎoméi.
我 要 两 斤 苹果、一 斤 草莓。

Gěi nín.
B：给 您。_____（20 元）^{èrshí yuán}

A：_____

(3) A：Xiāngjiāo zěnme mài?
香蕉 怎么 卖？

B：_____（ 2.5 元）^{èrdiǎnwǔ yuán}

A：Xīhóngshì duōshao qián yì jīn?
西红柿 多少 钱 一 斤？

B：_____（ 4.5 元）^{sìdiǎnwǔ yuán}

(4) A：_____

Xiāngjiāo liǎng kuài wǔ yì jīn.
B：香蕉 两 块 五 一 斤。

A：_____

Yígòng shí kuài qián.
B：一共 十 块 钱。

四 **任务活动** Task/Activity

到菜市场问问下列食品的价格，填在对应的表格里。Inquire about the prices of the following foods at a market and then fill in the form.

Yínháng   zěnme   zǒu

银行怎么走

How can I get to the bank

一 词汇练习 Vocabulary Exercises

---

1. 连线并朗读。Match the words with their *pinyin* and meanings and read them aloud.

(1) 银行   火车站   路口   邮局   电影院

huǒchēzhàn   yínháng   yóujú   diànyǐngyuàn   lùkǒu

railway station   bank   cinema   crossing,   post office
                                              intersection

(2) 北   右   前   左   后

qián   běi   zuǒ   hòu   yòu

behind, back   front   left (side)   right (side)   north

2. 选词填空并朗读。Choose a word to fill in each blank and read the sentences aloud.

> yìzhí   wǎng   qián   guǎi   dì   zǒu
> a.一直   b.往   c.前   d.拐   e.第   f.走

wǎng qián zǒu,   nàge báisè de dà lóu jiù shì.
(1) __a__ 往 前 走，那个 白色 的 大 楼 就 是。

Dì-èr ge lùkǒu yòu   yóujú zài yínháng pángbiān.
(2) 第二 个 路口 右_____，邮局 在 银行 旁边。

Yìzhí wǎng běi   yī ge lùkǒu zuǒ
(3) 一直 往 北_____，_____一 个 路口 左_____。

Wǎng   zǒu,   dì-yī ge lùkǒu yòu guǎi.
(4) 往_____走，第一 个 路口 右 拐。

Dì-yī ge lùkǒu yòu guǎi,   wǎng běi zǒu.
(5) 第一 个 路口 右 拐，_____往 北 走。

Yìzhí   běi zǒu, hóngsè de dà lóu jiù shì.
(6) 一直_____北 走，红色 的 大 楼 就 是。

1. 根据图片和提示写句子。 Write sentences based on the pictures and the hints given.

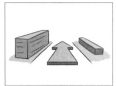

wǎng qián
(1) 往 前

一直往前走。／ Yìzhí wǎng qián zǒu.

zài　　　pángbiān
(4) 在……旁边

_____

jiù
(2) 就

_____

zěnme zǒu
(5) 怎么 走

_____

yòu guǎi
(3) 右 拐

_____

wǎng běi
(6) 往 北

_____

2. 把下列句子翻译成中文，然后朗读。 Translate the following sentences into Chinese and then read them aloud.

(1) Go straight ahead, and that handsome building is what you're looking for.

一直往前走，那个漂亮的大楼就是。／ Yìzhí wǎng qián zǒu, nàge piàoliang de dà lóu jiù shì.

(2) How can I get to the railway station?

_____

(3) The cinema is next to the bank.

_____

(4) Head north and turn left at the first crossing.

_____

(5) Go straight ahead and the post office is next to the bank.

_____

(6) Turn right at the second crossing and then walk ahead.

_____

交际练习　Communicative Exercise

根据图片完成对话。Complete the dialogues based on the picture.

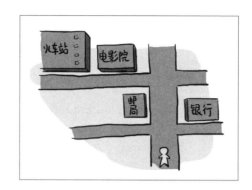

(1) A： Qǐngwèn, yínháng zěnme zǒu?
　　　 请问，银行 怎么 走?

　　 B： _____

(2) A： _____ yóujú
　　　　　　　　　　　　　　　　　　　　 (邮局)
　　 B： Yìzhí wǎng qián zǒu,　 nàge　huīsè　de lóu jiù shì.
　　　 一直往 前 走，那个 灰色 的 楼 就 是。

(3) A： Qǐngwèn, diànyǐngyuàn zěnme zǒu?
　　　 请问， 电影院 怎么 走?

　　 B： _____, _____。

(4) A： Qǐngwèn, huǒchēzhàn zěnme zǒu?
　　　 请问， 火车站 怎么 走?

　　 B： _____, _____, _____。

四 汉字练习　Exercise on Chinese Characters

描写汉字。Trace and copy the characters.

很	很	很	很	很	很			
行	行	行	行	行	行			
往	往	往	往	往	往			

Nàge   báisè   de   dà   lóu   jiù   shì
那个白色的大楼就是
It's just the white building over there

一 词汇练习 Vocabulary Exercises

---

1. 根据英文写出词语。 Write words based on the English meanings.

hospital 医院／yīyuàn   supermarket _____   shop, store _____

restaurant _____   school _____   subway station _____

2. 给下列词语加拼音，将反义词连线并朗读。 Write down the *pinyin* of the following words, match the antonyms in the two lines and read them aloud.

zuǒ
左   上   右边   前面   南   东

下   右   北   西   左边   后面

二 语法练习 Grammar Exercises

---

1. 为括号里的词语选择合适的位置。 Choose the proper position for each word in the bracket.

Yìzhí   wǎng   zǒu,   dì-yī ge lùkǒu   zuǒ guǎi.   qián
(1) 一直 _a_ 往 _b_ 走，第一个路口 _c_ 左拐。（前）

Qǐngwèn,   dìtiězhàn   zǒu   zěnme
(2) 请问， _a_ 地铁站 _b_ 走 _c_ ？（怎么）

Nàge   piàoliang de   dà dóu   shì.   jiù
(3) 那个 _a_ 漂亮的 _b_ 大楼 _c_ 是。（就）

wǎng dōng zǒu   zài xuéxiào pángbiān.   yìzhí
(4) _a_ 往东走 _b_ ， _c_ 在学校旁边。（一直）

Yìzhí   nán   zǒu,   dì-èr ge lùkǒu yòu guǎi   wǎng
(5) 一直 _a_ 南 _b_ 走， _c_ 第二个路口右拐。（往）

Yìzhí wǎng   qián zǒu,   yī ge   lùkǒu zuǒ guǎi.   dì
(6) 一直往 _a_ 前走， _b_ 一个 _c_ 路口左拐。（第）

2. 把下列句子翻译成中文，然后朗读。 Translate the following sentences into Chinese and then read them aloud.

(1) Head north and the store is next to the school.

一直往北走，商店在学校旁边。／ Yìzhí wǎng běi zǒu, shāngdiàn zài xuéxiào pángbiān.

(2) Excuse me, how can I get to the hospital?

_____

(3) Head west and turn right at the second crossing. The subway station is behind the supermarket.

_____

(4) Turn left at the first crossing and then head south. It's the tall building you'll see.

_____

(5) Head east and the hospital is across from the supermarket.

_____

(6) Head south and turn left at the second crossing. The restaurant is in front of the store.

_____

 交际练习　Communicative Exercise

根据实际情况回答问题。 Answer the following questions based on the real situations.

　　　　Yínháng zěnme zǒu?
(1) 银行　怎么　走?

　　　　Shāngdiàn zěnme zǒu?
(2) 商店　怎么　走?

　　　　Dìtiězhàn zěnme zǒu?
(3) 地铁站怎么走?

　　　　Huǒchēzhàn zěnme zǒu?
(4) 火车站　怎么　走?

　　　　Diànyǐngyuàn zěnme zǒu?
(5) 电影院　怎么　走?

　　　　Yīyuàn zěnme zǒu?
(6) 医院　怎么　走?

四　任务活动　Task/Activity

根据下列对话画出方位图。 Draw a sketch map based on the following dialogues.

　　　　Qǐngwèn, xuéxiào zěnme zǒu?
(1) A：请问，学校　怎么　走?

　　　　Yìzhí wǎng qián zǒu, dì-èr ge lùkǒu zuǒ guǎi.
　　B：一直　往　前　走，第二个路口　左　拐。

　　　　Qǐngwèn, chāoshì zěnme zǒu?
(2) A：请问，超市　怎么　走?

　　　　Yìzhí wǎng qián zǒu, dì-yī ge lùkǒu zuǒ guǎi.
　　B：一直　往　前　走，第一个路口　左　拐。

　　　　Qǐngwèn, diànyǐngyuàn zěnme zǒu?
(3) A：请问，电影院　怎么　走?

　　　　Yìzhí wǎng qián zǒu, dì-èr ge lùkǒu yòu guǎi.
　　B：一直　往　前　走，第二个路口　右　拐。

　　　　Qǐngwèn, yóujú zěnme zǒu?
(4) A：请问，邮局　怎么　走?

　　　　Yìzhí wǎng qián zǒu, nàge lùsè de lóu jiù shì.
　　B：一直　往　前　走，那个绿色的楼就是。

　　　　Qǐngwèn, huǒchēzhàn zěnme zǒu?
(5) A：请问，火车站　怎么　走?

　　　　Yìzhí wǎng qián zǒu, dì-èr ge lùkǒu yòu guǎi, zài diànyǐngyuàn pángbiān.
　　B：一直　往　前　走，第二个路口　右　拐，在　电影院　旁边。

(6) A：请问，医院怎么走？

Yìzhí wǎng qián zǒu, zài yóujú duìmiàn.

B：一直往前走，在邮局对面。

Wǒ zuò gōnggòng qìchē shàng bān
我坐公共汽车上班
I'll come to work by bus

一 词汇练习 Vocabulary Exercises

1. 连线并朗读。 Match the words with their *pinyin* and meanings and read them aloud.

同事	明天	地铁	公共汽车	自行车	周末
dìtiě	tóngshì	gōnggòng qìchē	míngtiān	zhōumò	zìxíngchē
bus	subway	weekend	colleague	tomorrow	bike

2. 根据英文写出中文短语。 Write Chinese phrases based on the English meanings.

(1) a colleague   一个同事 / yí ge tóngshì

(2) to like driving   _____

(3) to take the subway   _____

(4) to take a bus   _____

(5) to ride a bike   _____

(6) to walk   _____

二 语法练习 Grammar Exercises

1. 根据下列句子，用"怎么"提问。 Ask questions using "怎么" based on the following sentences.

Wǒ zuò dìtiě shàng bān.
(1) 我坐地铁上班。 → 你怎么上班？ / Nǐ zěnme shàng bān?

Lǐ xiānsheng kāi chē shàng bān.
(2) 李先生开车上班。 → _____

Yìzhí wǎng qián zǒu, chāoshì zài yóujú pángbiān.
(3) 一直往前走，超市在邮局旁边。 → _____

Dīng dàifu qí zìxíngchē shàng bān.
(4) 丁大夫骑自行车上班。 → _____

Dì-èr ge lùkǒu yòu guǎi, nàge báisè de
(5) 第二个路口右拐，那个白色的

dà lóu jiù shì yínháng.
大楼就是银行。 → _____

Píngguǒ wǔ kuài qián yì jīn.
(6) 苹果 五块钱一斤。   → _____

2. 把下面的两句话合为一句，然后朗读。Combine two sentences into one and then read them aloud.

Lín Mù shàng bān. Lín Mù zuò dìtiě.
(1) 林木 上 班。林木坐地铁。

→ 林木坐地铁上班。/ Lín Mù zuò dìtiě shàng bān. _____

Liú nǚshì shàng bān. Liú nǚshì zuò gōnggòng qìchē.
(2) 刘女士 上 班。刘女士坐 公共 汽车。

→ _____

Wǒ shàng bān. Wǒ qí zìxíngchē.
(3) 我 上 班。我 骑自行车。

→ _____

Wáng xiǎojiě shàng bān. Wáng xiǎojiě bú zuò dìtiě.
(4) 王 小姐 上 班。王 小姐不坐地铁。

→ _____

Tā shàng bān. Tā zǒu lù.
(5) 他 上 班。他 走路。

→ _____

Zhāng lǎoshī shàng bān. Zhāng lǎoshī bù qí zìxíngchē.
(6) 张 老师 上 班。张 老师不骑自行车。

→ _____

三 交际练习 Communicative Exercise

根据图片完成对话。Complete the dialogues based on the pictures.

Tā zěnme shàng bān?
(1) A：她怎么 上 班?

B：她坐公共汽车上班。/ _____

Tā zuò gōnggòng qìchē shàng bān.
_____

Tā zěnme shàng bān?
(2) A：他怎么 上 班?

B：_____

(3) A：
Tā zěnme shàng bān?
他 怎么 上 班？

B：_____

(4) A：
Tā zěnme shàng bān?
他 怎么 上 班？

B：_____

四 **汉字练习** Exercise on Chinese Characters

描写汉字。Trace and copy the characters.

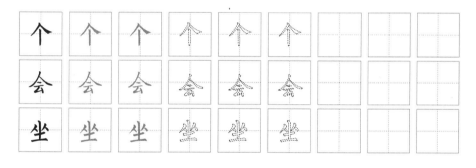

Jiějie zěnme qù jīchǎng

姐姐怎么去机场

How does my elder sister go to the airport

一 词汇练习 Vocabulary Exercises

1. 写出你知道的交通工具。Write down the means of transportation that you know.

飞机 / fēijī _____ _____ _____ _____

2. 给下列词语加拼音，连线并朗读。Write down the *pinyin* of the following words, match the words in the two lines, and read them aloud.

qí
骑   坐   打   看   听   喝

篮球   电影   自行车   茶   公共汽车   音乐

二 语法练习 Grammar Exercises

1. 朗读下列句子，画出表示动作方式的词语，并用"怎么"提问。Read the following sentences aloud, underline the word/phrase that indicates the way of doing something in each sentence, and ask questions using "怎么".

Wáng xiǎojiě zuò huǒchē qù Běijīng.
(1) 王 小姐 坐 火车 去 北京。 → 王小姐怎么去北京？/ Wáng xiǎojiě zěnme qù Běijīng?

Yéye zǒu lù qù chāoshì.
(2) 爷爷 走 路 去 超市。 → _____

Dàwèi dǎ chē qù jīchǎng.
(3) 大卫 打 车 去 机场。 → _____

Lín Mù pǎo bù qù gōngyuán.
(4) 林木 跑 步 去 公园。 → _____

Liú Xiǎoshuāng zuò fēijī qù Shànghǎi.
(5) 刘 小双 坐 飞机 去 上海。 → _____

Wáng Fāngfāng kāi chē qù xuéxiào.
(6) 王 方方 开 车 去 学校。 → _____

2. 用下列词语组成句子，然后朗读。Unscramble the words to make sentences and then read them aloud.

huǒchē Shànghǎi qù zuò wǒ
(1) 火车 上海 去 坐 我   我坐火车去上海。/ Wǒ zuò huǒchē qù Shànghǎi.

chūzūchē Dàwèi yínháng qù zuò
(2) 出租车 大卫 银行 去 坐   _____

zuò Měiguó Lín Mù qù fēijī
(3) 坐 美国 林木 去 飞机   _____

qù dǎ chē Yú xiǎojiě chāoshì
(4) 去 打车 于小姐 超市   _____

jīchǎng zuò dìtiě Liú lǎoshī qù
(5) 机场 坐 地铁 刘 老师 去 _____

qù gōngyuán pǎo bù gēge
(6) 去 公园 跑步 哥哥 _____

三 交际练习 Communicative Exercise

根据提示完成对话。 Complete the dialogues based on the hints given.

Zhāng xiānsheng zěnme qù jīchǎng?
(1) A：张 先生 怎么去机场？

B： 张先生开车去机场。/ Zhāng xiānsheng kāi chē qù jīchǎng.   kāi chē
　　　　　　　　　　　　　　　　　　　　　　　　　（开车）

Mǎ jīnglǐ zěnme qù gōngsī?
(2) A：马经理 怎么去公司？

B： _____   gōnggòng qìchē
　　　　　　　　　　　　　　　　　　（公共 汽车）

Lǐ nǚshì zěnme qù huǒchēzhàn?
(3) A：李女士 怎么去 火车站？

B： _____   dìtiě
　　　　　　　　　　　　　　　　　　（地铁）

Jiějie zěnme qù diànyǐngyuàn?
(4) A：姐姐 怎么去 电影院？

B： _____   dǎ chē
　　　　　　　　　　　　　　　　　　（打车）

Nǎinai zěnme qù gōngyuán?
(5) A：奶奶 怎么去 公园？

B： _____   zǒu lù
　　　　　　　　　　　　　　　　　　（走路）

Gēge zěnme qù Shànghǎi?
(6) A：哥哥 怎么去 上海？

B： _____   fēijī
　　　　　　　　　　　　　　　　　　（飞机）

四 任务活动 Task/Activity

想想去下面这些地方时你都是怎么去的，写出方式和完整的句子。 Think about how you usually go to the following places, write down the means of transportation and the whole sentences.

学校	骑自行车 / qí zìxíngchē	我骑自行车去学校。/ Wǒ qí zìxíngchē qù xuéxiào.
银行		
公园		
机场		
商店		

Wǒ qù Āijí lǚyóu le

我去埃及旅游了

I traveled to Egypt

一 词汇练习　Vocabulary Exercises

---

1. 连线并朗读。Match the words with their *pinyin* and meanings and read them aloud.

玩儿	买	旅游	回来	和	这么

mǎi	wánr	huílai	hé	zhème	lǚyóu

and	to come back	so, like this	to travel	to buy	to play

2. 写出你学过的表示公共场所的词语。Write down the words for public places you've learned.

银行／yínháng　_____　_____　_____

_____　_____　_____

二 语法练习　Grammar Exercises

---

1. 把"了"填到合适的位置上。Put "了" in the proper positions.

Tā qù　　tǐyùguǎn　jiànshēn
(1) 他去＿＿＿体育馆＿＿＿健身 了。

Tāmen qù fànguǎnr chī zhōngguócài
(4) 他们 去 饭馆儿＿＿＿吃＿＿＿中国菜＿＿＿。

Zhōumò　Dàwèi qù　　Shànghǎi lǚyóu
(2) 周末＿＿＿大卫去＿＿＿上海 旅游＿＿＿。

Gēge　qù　　xuéxiào　kàn shū
(5) 哥哥去＿＿＿学校＿＿＿看书＿＿＿。

Zhōumò Wáng Fāngfāng qù　　jùyuàn
(3) 周末 王 方方去＿＿＿剧院

kàn　　jīngjù
看＿＿＿京剧＿＿＿。

Zhōumò　Lín Mù qù　　gōngsī shàng bān
(6) 周末＿＿＿林木去＿＿＿公司 上 班＿＿＿。

2. 根据图片写句子。Write sentences based on the pictures.

(1) 王方方去法国旅游了。／

Wáng Fāngfāng qù Fǎguó lǚyóu le.

(2) _____

(3) _____ (4) _____

(5) _____ (6) _____

3. 用下列词语组成句子，然后朗读。Unscramble the words to make sentences and then read them aloud.

(1)
Yíhé Yuán　wánr　qù　wǒ　le
颐和园　玩儿　去　我　了

我去颐和园玩儿了。／ Wǒ qù Yíhé Yuán wánr le.

(2)
Běijīng　le　Dàwèi　lǚyóu　qù
北京　了　大卫　旅游　去

_____

(3)
gēge　tǐyùguǎn　le　pǎo bù　qù
哥哥　体育馆　了　跑步　去

_____

(4)
jiějie　nánpéngyou　le　yuēhuì　hé　gōngyuán　qù
姐姐　男朋友　了　约会　和　公园　去

_____

(5)
mǎi　shāngdiàn　māma　qù　yīfu　le
买　商店　妈妈　去　衣服　了

_____

(6)
kàn　Wáng Fāngfāng　Liú Dàshuāng　qù　hé　diànyǐng　diànyǐngyuàn　le
看　王方方　刘大双　去　和　电影　电影院　了

_____

交际练习 Communicative Exercise

根据提示完成对话。 Complete the dialogues based on the hints given.

(1) A：Xīngqīyī nǐ zuò shénme le?
　　星期一你做什么了？

　　B：我去体育馆健身了。/ Wǒ qù tǐyùguǎn jiànshēn le. （体育馆）tǐyùguǎn

(2) A：Xīngqī'èr nǐ zuò shénme le?
　　星期二你做什么了？

　　B：_____ （剧院）jùyuàn

(3) A：Xīngqīsān nǐ zuò shénme le?
　　星期三你做什么了？

　　B：_____ （公园）gōngyuán

(4) A：Wáng jīnglǐ Xīngqīliù zuò shénme le?
　　王 经理星期六做什么了？

　　B：_____ （公司）gōngsī

(5) A：Xīngqītiān nǐ zuò shénme le?
　　星期天你做什么了？

　　B：_____ （超市）chāoshì

(6) A：Zhōumò tā zuò shénme le?
　　周末他做什么了？

　　B：_____ （上海）Shànghǎi

四 汉字练习 Exercise on Chinese Characters

描写汉字。 Trace and copy the characters.

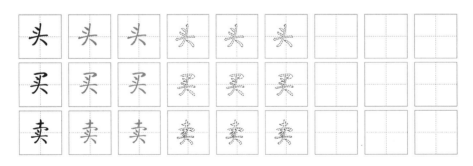

Lesson 28

Zuótiān nǐ zuò shénme le

昨天你做什么了

What did you do yesterday

一 词汇练习 Vocabulary Exercises

---

1. 连线并朗读。 Match the words with their *pinyin* and meanings and read them aloud.

前天	昨天	今天	明天	周末	今年

zuótiān	qiántiān	míngtiān	jīntiān	jīnnián	zhōumò

weekend	this year	tomorrow	yesterday	today	the day before yesterday

2. 写出你学过的中国城市名和旅游景点。 Write down the names of cities and tourist attractions in China you've learned.

北京／Běijīng _____ _____ _____ _____

二 语法练习 Grammar Exercises

---

1. 朗读下列句子，画出句中所有的动词。 Read the following sentences aloud and underline all the verbs in each sentence.

Wáng lǎoshī zuótiān qù xuéxiào shàng bān le.
(1) 王 老师 昨天 去 学校 上 班 了。

Jīntiān Liú Dàshuāng qù tǐyùguǎn dǎ lánqiú le.
(4) 今天 刘 大双 去 体育馆 打 篮球 了。

Zuótiān wǒmen qù fànguǎnr chī bǐsà le.
(2) 昨天 我们 去 饭馆儿 吃 比萨 了。

Zhōumò wǒ hé nánpéngyou qù jùyuàn kàn jīngjù le.
(5) 周末 我 和 男朋友 去 剧院 看 京剧 了。

Qiántiān wǒ hé gēge qù gōngyuán pǎo bù le.
(3) 前天 我 和 哥哥 去 公园 跑步 了。

Míngtiān wǒ dǎsuàn qù Shànghǎi lǚyóu.
(6) 明天 我 打算 去 上海 旅游。

2. 把下面的两句话合为一句，然后朗读。 Combine two sentences into one and then read them aloud.

Zuótiān wǒ qù chāoshì le. Zuótiān wǒ mǎi dōngxi le.
(1) 昨天 我 去 超市 了。昨天 我 买 东西 了。

→ 昨天我去超市买东西了。／ Zuótiān wǒ qù chāoshì mǎi dōngxi le.

Tóngxuémen qiántiān qù Chángchéng le. Tóngxuémen qiántiān qù wánr le.
(2) 同学们 前天去 长城 了。同学们 前天 去 玩儿 了。

→ _____

Xīngqītiān Dàwèi qù tǐyùguǎn le. Xīngqītiān Dàwèi qù yóuyǒng le.
(3) 星期天 大卫 去 体育馆 了。星期天 大卫 去 游泳 了。

→ _____

Zhōumò Lín Mù shàng wǎng le.　　Zhōumò Lín Mù xiě wēibó le.
(4) 周末 林木 上 网了。周末 林木 写微博了。

→ _____

Èr líng yī líng nián Ālǐ qù Zhōngguó le.　　Èr líng yī líng nián Ālǐ xué Hànyǔ le.
(5) ２０１０年阿里去 中国 了。２０１０年阿里学 汉语了。

→ _____

Èr líng yī yī nián Bāyuè Liú Dàshuāng qù Nánfēi le.　　Èr líng yī yī nián Bāyuè Liú Dàshuāng qù lǚyóu le.
(6) ２０１１年８月刘 大双 去南非了。２０１１年８月刘 大双 去旅游了。

→ _____

三 交际练习 Communicative Exercise

看图，根据提示完成对话。 Look at the pictures, and complete the dialogues based on the hints given.

Nǐ Xīngqītiān zuò shénme le?
(1) A：你 星期天 做 什么 了？

B：我星期天去电影院看电影了。／

　　Wǒ Xīngqītiān qù diànyǐngyuàn kàn diànyǐng le.

diànyǐngyuàn
（电影院）

Nǐ zuótiān zuò shénme le?
(2) A：你 昨天 做 什么 了？

B：_____

shāngdiàn
（商店）

Nǐ èr líng yī èr nián Bāyuè zuò shénme le?
(3) A：你２０１２年８月做 什么 了？

B：_____

Běijīng
（北京）

Nǐ jīnnián Shèngdàn Jié dǎsuàn zuò shénme?
(4) A：你今年 圣诞 节打算做什么？

B：_____

Fǎguó
（法国）

你周末一般都去哪儿？做什么？写下来，并写出完整的句子。Where do you usually go and what do you usually do on weekends? Fill in the form and write down the whole sentences.

	A	B	C	D	E	F
去哪儿 Where Do You Go	电影院／ diànyǐngyuàn					
做什么 What Do You Go	看电影／ kàn diànyǐng					

例：E.g.: 我周末去电影院看电影。／ Wǒ zhōumò qù diànyǐngyuàn kàn diànyǐng.

Zǎoshang liù diǎn bàn chūfā,   zěnmeyàng

早上六点半出发，怎么样

How about setting out at half past six in the morning

一 词汇练习 _ Vocabulary Exercises

1. 看钟表写出时间。Look at the clock and write down the time.

(1)

7 点 / qī diǎn

(2)

(3)

(4)

(5)

(6)

2. 选词填空并朗读。Choose a word to fill in each blank, and read the sentences and dialogues aloud.

> ba   ne   a   ma
> a. 吧   b. 呢   c. 啊   d. 吗

Zhōumò wǒmen qù kàn jīngjù
(1) A：周末 我们 去 看 京剧__a__。

Hǎo
B：好_____。

Wǒ jiào Wáng Fāngfāng. Nǐ
(2) 我 叫 王 方方。你_____？

Zhè shì nǐ de shǒujī
(3) 这 是 你 的 手机_____？

Cǎoméi duōshao qián yì jīn?
(4) A：草莓 多少 钱 一 斤？

Shí kuài qián yì jīn.
B：十 块 钱 一 斤。

Píngguǒ
A：苹果_____？

Míngtiān zǎoshang wǒmen wǔ diǎn chūfā
(5) 明天 早上 我们 五点 出发_____。

Yàoshi zài shāfā shang
(6) 钥匙 在 沙发 上 _____？

二 语法练习 _ Grammar Exercises

1. 为括号里的词语选择合适的位置，然后朗读。Choose the proper position for each word/phrase in the brackets and then read the sentences aloud.

wǒmen qù   Yíhé Yuán ba   míngtiān
(1) __a__ 我们 去 __b__ 颐和 园 吧 __c__。（明天）

Wǒmen   qù   shāngdiàn mǎi dōngxi ba   Xīngqītiān
(2) 我们__a__去__b__商店 买 东西 吧__c__。（星期天）

wǒmen qù tǐyùguǎn   jiànshēn ba   zhōumò
(3) __a__ 我们 去 体育馆 __b__ 健身 吧__c__。（周末）

(4) 我们____a__ 出发 __b____, ____c__ 怎么样？（下午 两 点）

Wǒmen a chūfā b, c zěnmeyàng? xiàwǔ liǎng diǎn

(5) ____a____ 晚上 ____b__ 我们 去 看 电影，____c__ 怎么样？（星期六）

a wǎnshang b wǒmen qù kàn diànyǐng, c zěnmeyàng? Xīngqīliù

(6) ____a__ 后天 __b__ 早上 __c____ 公园 见。（7点半）

hòutiān zǎoshang gōngyuán jiàn. qī diǎn bàn

2. 把下列句子翻译成中文，然后朗读。Translate the following sentences into Chinese and then read them aloud.

(1) Let's go to see a movie tomorrow.

明天我们去看电影吧。 / Míngtiān wǒmen qù kàn diànyǐng ba.

(2) A: Let's go swimming in the gym the day after tomorrow.

B: Sure.

_____

_____

(3) A: When shall we leave?

B: What about 2 o'clock in the afternoon?

_____

_____

(4) Let's go shopping for clothes the day after tomorrow. What do you think?

_____

(5) I will be occupied this Saturday. What about Sunday?

_____

(6) See you at half past seven this Friday evening at the theater.

_____

三 交际练习 Communicative Exercise

看图，根据提示完成对话。Look at the pictures, and complete the dialogues based on the hints given.

(1) A：周末我们去颐和园吧。 /

Zhōumò wǒmen qù Yíhé Yuán ba. （周末）zhōumò

B：好啊！几点去？

Hǎo a! Jǐ diǎn qù?

A：早上六点一刻，怎么样？ /

Zǎoshang liù diǎn yí kè, zěnmeyàng? （早上）zǎoshang

B：没 问题。

Méi wèntí.

(2) A: _____

      Hǎo a!   Jǐ diǎn qù?
B：好 啊! 几 点 去?

A: _____（下午）
      xiàwǔ

      Hǎo ba.
B：好 吧。

(3) A: _____

      Hǎo a!   Jǐ diǎn chūfā?
B：好 啊! 几 点 出发?

A: _____（下午）
      xiàwǔ

      Hǎo a!
B：好 啊!

      Míngtiān wǒmen qù kàn diànyǐng ba.
(4) A: 明天 我们 去 看 电影 吧。

B: _____! _____?

      Wǎnshang bā diǎn shí fēn, zěnmeyàng?
A: 晚上 八 点 十 分, 怎么样?

B: _____

  四　汉字练习　Exercise on Chinese Characters

描写汉字。Trace and copy the characters.

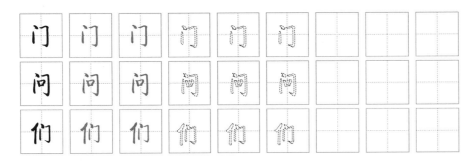

门	门	门	门	门	门			
问	问	问	问	问	问			
们	们	们	们	们	们			

Xīngqīrì xiàwǔ wǒmen qù dǎ lánqiú ba
星期日下午我们去打篮球吧
Let's go to play basketball this Sunday afternoon

一 词汇练习 Vocabulary Exercises

1. 连线并朗读。Match the words with their *pinyin* and meanings and read them aloud.

早上	上午	中午	下午	晚上

shàngwǔ	zhōngwǔ	zǎoshang	wǎnshang	xiàwǔ

morning	noon	afternoon	evening, night	morning, forenoon

2. 根据钟表和提示写出时间。Write down the time based on the clock and the hints given.

(1)
a.m.

上午 11 点 /

shàngwǔ shíyī diǎn

(2)
a.m.

_____

(3)
p.m.

_____

(4)
p.m.

_____

(5)
a.m.

_____

(6)
p.m.

_____

二 语法练习 Grammar Exercises

1. 对画线部分提问。Ask a question about the underlined part in each sentence.

Zhōumò wǒmen qù tī zúqiú.
(1) 周末 我们 <u>去踢足球</u>。　　→ 周末你们做什么？/ Zhōumò nǐmen zuò shénme?

Wǒmen Xīngqīliù zǎoshang bā diǎn chūfā.
(2) 我们 星期六 <u>早上 八 点</u> 出发。　→ _____

Zhège báisè de shǒujī hěn piàoliang.
(3) 这个 白色 的 手机 <u>很 漂亮</u>。　→ _____

Xīngqīwǔ wǒmen zuò gōnggòng qìchē shàng bān.
(4) 星期五我们 <u>坐 公共 汽车</u> 上 班。→ _____

Wǒ qù Déguó lǚyóu le.
(5) 我 去 <u>德国</u> 旅游了。　　→ _____

Wǒ de yàoshi zài diànnǎo pángbiān.

(6) 我 的 钥匙 在 <u>电脑 旁边</u>。　　　→ _____

2. 用下列词语组成句子，然后朗读。 Unscramble the words to make sentences and then read them aloud.

	zúqiú	tī	xiàwǔ	Xīngqīrì	wǒmen	ba	qù
(1)	足球	踢	下午	星期日	我们	吧	去

<u>星期日下午我们去踢足球吧。／ Xīngqīrì xiàwǔ wǒmen qù tī zúqiú ba.</u>

	wǎnshang	yīnyuèhuì	wǒmen	tīng	qù	ba	hòutiān
(2)	晚上	音乐会	我们	听	去	吧	后天

_____

	Xīngqīliù	tiào wǔ	wǒmen	qù	xiàwǔ	ba	
(3)	星期六	跳舞	我们	去	下午	吧	

_____

	shàngwǔ	xué	Xīngqīrì	wǒmen	ba	qù	Hànyǔ
(4)	上午	学	星期日	我们	吧	去	汉语

_____

	bǐsà	zhōngwǔ	wǒmen	qù	ba	míngtiān	chī
(5)	比萨	中午	我们	去	吧	明天	吃

_____

	dǎ	zǎoshang	hòutiān	ba	tàijíquán	wǒmen	qù
(6)	打	早上	后天	吧	太极拳	我们	去

_____

三 交际练习 Communicative Exercise

看图，根据提示完成对话。 Look at the pictures, and complete the dialogues based on the hints given.

Míngtiān zǎoshang wǒmen zuò shénme?

(1) A：明天 早上 我们 做 什么？

B：<u>明天早上我们去公园跑步吧。／</u>

gōngyuán
<u>Míngtiān zǎoshang wǒmen qù gōngyuán pǎo bù ba.</u> （公园）

Hǎo a! Jǐ diǎn qù?

A：好 啊！几 点 去？

B：<u>六点一刻，怎么样？ ／ Liù diǎn yí kè, zěnmeyàng?</u>

Méi wèntí.

A：没 问题。<u>六点一刻公园见。／ Liù diǎn yí kè gōngyuán jiàn.</u>

Xīngqīliù shàngwǔ wǒmen zuò shénme?

(2) A：星期六 上午 我们 做 什么？

tǐyùguǎn
B：_____ （体育馆）

Hǎo a! Jǐ diǎn qù?

A：好 啊！几 点 去？

B：_____

Méi wèntí.

A：没 问题。_____

(3) A: Xīngqīyī xiàwǔ wǒmen zuò shénme?
　　　星期一下午我们做什么?

B: _____ （学校）
　　　　　　　　　　　　　　　　　　　　xuéxiào

A: Hǎo a! Jǐ diǎn qù?
　　　好啊! 几点去?

B: _____

A: Méi wèntí.
　　　没问题。_____

(4) A: Xīngqīrì wǎnshang wǒmen zuò shénme?
　　　星期日晚上我们做什么?

B: _____ （剧院）
　　　　　　　　　　　　　　　　　　　　jùyuàn

A: Hǎo a! Jǐ diǎn qù?
　　　好啊! 几点去?

B: _____

A: Méi wèntí.
　　　没问题。_____

四　任务活动　Task/Activity

假如你要和下面的人物一起过周末，你会邀请他 / 她 / 他们分别一起做什么？试着写出来。
Suppose you will spend a weekend with the following people, what will you invite them to do respectively? Try to write them down.

例：E.g.: 星期天我们一起去看电影，怎么样？／
　　　　　Xīngqītiān wǒmen yìqǐ qù kàn diànyǐng. zěnmeyàng?

Lesson 31

Tā gèzi hěn gāo

他个子很高

He is very tall

一 词汇练习 Vocabulary Exercises

1. **连线并朗读。** Match the words with their *pinyin* and meanings and read them aloud.

个子	位	运动鞋	这儿	头发	眼睛

wèi	yùndòngxié	yǎnjing	gèzi	tóufa	zhèr

sneakers	stature	here	hair	eye	*a measure word for people*

2. **选词填空并朗读。** Choose a word/words to fill in each blank and read the phrases aloud.

kù	gāo	xiǎo	piàoliang	duǎn	dà
a. 酷	b. 高	c. 小	d. 漂亮	e. 短	f. 大

gèzi
(1) __b__ 个子

yǎnjing
(2) _____ 眼睛

tóufa
(3) _____ 头发

yīfu hěn
(4) 衣服 很_____

qúnzi bù
(5) 裙子 不_____

niúzǎikù hěn
(6) 牛仔裤 很_____

二 语法练习 Grammar Exercises

1. **朗读下列句子，画出整个句子的主语和谓语部分的主语。** Read the sentences aloud, underline the subject of each sentence and the subject of the predicate in each sentence.

Dīng Shān gèzi bù gāo.
(1) 丁 山 个子 不 高。

Liú Dàshuāng yǎnjing hěn dà.
(2) 刘 大双 眼睛 很 大。

Zhāng xiǎojiě tóufa hěn duǎn.
(3) 张 小姐 头发 很 短。

Lǐ jīnglǐ yīfu hěn kù.
(4) 李 经理 衣服 很 酷。

Wǒ yǎnjing bù shūfu.
(5) 我 眼睛 不 舒服。

Zhè shuāng xié yánsè (color) bù hǎokàn.
(6) 这 双 鞋 颜色 (color) 不 好看。

2. **用下列词语组成句子，然后朗读。** Unscramble the words/phrases to make sentences and then read the sentences aloud.

yǎnjing bù tā dà
(1) 眼睛 不 他 大

他眼睛不大。 / Tā yǎnjing bú dà.

gāo Dàwèi gèzi hěn
(2) 高 大卫 个子 很

_____

(3)
頭髮　　短　　很　　劉　小雙
tóufa　duǎn　hěn　Liú Xiǎoshuāng

_____

(4)
手　　妹妹　　小　　很
shǒu　mèimei　xiǎo　hěn

_____

(5)
王　老師　家　　很　　書　　多
Wáng lǎoshī jiā　hěn　shū　duō

_____

(6)
顏色　　這條　　裙子　　好看　　不
yánsè　zhè tiáo　qúnzi　hǎokàn　bù

_____

三　交际练习　Communicative Exercise

根据实际情况，用主谓谓语句回答问题。 Answer the questions using sentences with a subject-predicate structure as the predicate based on the real situations.

(1)
你 家 房子 大 吗？
Nǐ jiā fángzi dà ma?

例：E.g.: 我家房子很大。/ Wǒ jiā fángzi hěn dà.

(2)
你 爸爸 工作 忙 不 忙？
Nǐ bàba gōngzuò máng bu máng?

(3)
你 妈妈 衣服 多 吗？
Nǐ māma yīfu duō ma?

(4)
你 学习 累 不 累？
Nǐ xuéxí lèi bu lèi?

(5)
你 眼睛 大 不 大？
Nǐ yǎnjing dà bu dà?

(6)
你 个子 高 不 高？
Nǐ gèzi gāo bu gāo?

四　汉字练习　Exercise on Chinese Characters

描写汉字。 Trace and copy the characters.

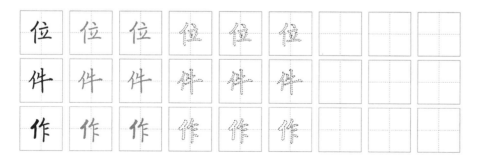

89

Tā shēncái bù hǎo

她身材不好

She doesn't have a good figure

一 词汇练习 Vocabulary Exercises

1.给下列词语加拼音，将反义词连线并朗读。Write down the *pinyin* of the following words, match the antonyms in the two lines, and read them aloud.

cháng
长　　　　大　　　　高　　　　对

错　　　　短　　　　小　　　　矮

2.写出你学过的表示人体部位的词语。Write down the names of parts of the human body you've learned.

头发 / tóufa　　＿＿＿＿＿＿　＿＿＿＿＿＿　＿＿＿＿＿＿

＿＿＿＿＿＿　　＿＿＿＿＿＿　＿＿＿＿＿＿

二 语法练习 Grammar Exercises

1.看图，根据提示写句子。Look at the pictures, and write sentences based on the hints given.

tā　　yǎnjing
(1) 它 (it)　眼睛

它眼睛很大。／ Tā yǎnjing hěn dà.

tā　bízi
(2) 它　鼻子

＿＿＿＿＿＿＿＿＿＿＿

tā　zuǐ
(3) 它　嘴

＿＿＿＿＿＿＿＿＿＿＿

jiějie　shēncái
(4) 姐姐　身材

＿＿＿＿＿＿＿＿＿＿＿

90

dìdi   gèzi
(5) 弟弟   个子

gēge   tóufa
(6) 哥哥   头发

_____   _____

2. 把下列句子翻译成中文，然后朗读。Translate the following sentences into Chinese and then read them aloud.

(1) He wears a white shirt and blue jeans.

他穿一件白色的衬衣、一条蓝色的牛仔裤。/

Tā chuān yí jiàn báisè de chènyī、yì tiáo lánsè de niúzǎikù.

(2) My elder sister has a nice figure.

_____

(3) Your hair is too long!

_____

(4) The weather is not good today in Shanghai.

_____

(5) Lin Mu does a hard job.

_____

(6) Things are expensive (贵，guì) in that store.

_____

 交际练习   Communicative Exercise

看这张全家福，向你的同学介绍每个人的典型特征，并尽量写下来。Look at this family photo, talk about the distinctive features of each person with your classmates, and try to write your descriptions down.

例：E.g.：*爷爷头发很白*（white）。／ *Yéye tóufa hěn bái.*

_____

_____

_____

_____

_____

四　任务活动　Task/Activity

根据下面的描述，画一张画儿。 Do a drawing based on the following description.

Zhè shì wǒ de gēge.　Tā chuān yí jiàn huīsè de chènyī,　yì tiáo lánsè de niúzǎikù,　yì shuāng báisè
这是我的哥哥。他穿一件灰色的衬衣、一条蓝色的牛仔裤、一双白色

de yùndòngxié, tā yīfu hěn kù.　Tā yǎnjing hěn xiǎo,　bízi hěn gāo,　zuǐ yǒudiǎnr dà.　Tā gèzi hěn gāo, tuǐ
的运动鞋，他衣服很酷。他眼睛很小，鼻子很高，嘴有点儿大。他个子很高，腿

hěn cháng, shēncái hěn hǎo.　Tā shì yùndòngyuán.
很长，身材很好。他是运动员。

Běijīng   tiānqì   zěnmeyàng

北京天气怎么样

What's the weather like in Beijing

一 词汇练习   Vocabulary Exercises

1. 连线并朗读。 Match the words with their *pinyin* and meanings and read them aloud.

天气	现在	冬天	阴天	气温	零下	夏天	有雪

xiànzài	tiānqì	qìwēn	líng xià	dōngtiān	yīntiān	xiàtiān	yǒu xuě

now	winter	temperature	summer	weather	below zero	snowy	overcast sky, cloudy day

2. 根据图片写出温度。 Write down the temperatures based on the pictures.

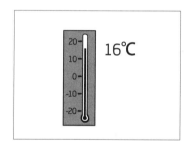

(1) _____16℃   16 度 / shíliù dù_____

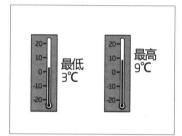

(4) _____

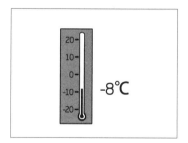

(2) _____

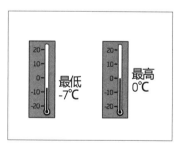

(5) _____

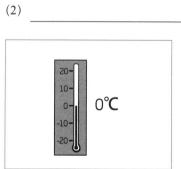

(3) _____

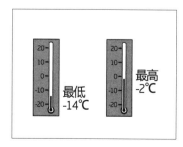

(6) _____

93

1. 根据提示回答问题。 Answer the questions based on the hints given.

Míngtiān xīngqī jǐ?
(1) 明天 星期几?

明天星期六。/ Míngtiān Xīngqīliù.　　　　　　(星期六)
　　　　　　　　　　　　　　　　　　　Xīngqīliù

Jīntiān duōshao dù?
(2) 今天 多少 度?

_____　　　　(18 度)
　　　　　　　　　　　　　　　　　　shíbā dù

Míngtiān Běijīng tiānqì zěnmeyàng?　Shànghǎi ne?
(3) 明天 北京 天气 怎么样? 上海 呢?

_____　　(晴天　阴天)
　　　　　　　　　　　　　　　　qíngtiān　yīntiān

Xiànzài jǐ diǎn?
(4) 现在 几 点?

_____　　(下午 三 点 半)
　　　　　　　　　　　　　　　xiàwǔ sān diǎn bàn

Zuótiān jǐ yuè jǐ hào, xīngqī jǐ?
(5) 昨天 几 月 几 号，星期几?

_____　(5 月 30 号　星期一)
　　　　　　　　　　　　　Wǔyuè sānshí hào　Xīngqīyī

Jīntiān Xīní duōshao dù?
(6) 今天 悉尼 多少 度?

_____　　　(29 度)
　　　　　　　　　　　　　　　　　　èrshíjiǔ dù

2. 把下列句子翻译成中文，然后朗读。Translate the sentences into Chinese and then read them aloud.

(1) It's overcast today.

今天阴天。/ Jīntiān yīntiān. _____

(2) Today's temperature is five degrees (Celsius) below zero.

_____

(3) What's the weather like in Shanghai?

_____

(4) It's summer now in Beijing.

_____

(5) It will snow tomorrow in Sydney.

_____

(6) The temperature varies between 10 degrees (Celsius) below zero and 1 degree (Celsius).

_____

三 交际练习 Communicative Exercise

看图说天气，并写下来。 Look at the pictures, talk about the weathers, and then write down the descriptions about the pictures.

Shànghǎi
(1) 上海 <u>阴天，15 度到 20 度 /</u>
<u>yīntiān, shíwǔ dù dào èrshí dù</u> 。

Běijīng
(2) 北京 _____ 。

Xīní
(3) 悉尼 _____ 。

Xī'ān
(4) 西安 （Xi'an） _____ 。

四 汉字练习 Exercise on Chinese Characters

描写汉字。 Trace and copy the characters.

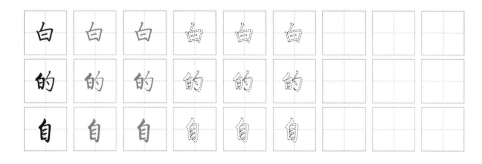

Mòsīkē   dōngtiān chángcháng xià   xuě

莫斯科冬天 常常下雪

It snows a lot in Moscow in the winter

一 **词汇练习** Vocabulary Exercises

1. 连线并朗读。Match the words with their *pinyin* and meanings and read them aloud.

刮风	春天	暖和	常常	秋天	下

chūntiān	guā fēng	chángcháng	xià	nuǎnhuo	qiūtiān

spring	to be windy	often	to fall	autumn	warm

2. 写出你学过的表示天气的词语。Write down the words describing weather that you've learned.

阴天 / yīntiān _____ _____ _____

_____ _____ _____ _____

二 **语法练习** Grammar Exercises

1. 根据图片描述天气。Describe the weather based on the pictures.

(1) 北京多云，气温15度到25度。/

Běijīng duōyún, qìwēn shíwǔ dù dào èrshíwǔ dù.

(2) _____

_____

(3) _____

_____

(4) _____

_____

96

(5) _____   (6) _____

_____   _____

2. 把下列句子翻译成中文，然后朗读。Translate the following sentences into Chinese and then read them aloud.

(1) It's windy today in Beijing, and the temperature changes between 3 degrees and 9 degrees (Celsius).

北京今天刮风，气温3度到9度。/ Běijīng jīntiān guā fēng, qìwēn sān dù dào jiǔ dù.

(2) It's neither cold nor hot in Shanghai in autumn.

_____

(3) It's frigid in Moscow in winter. It snows a lot.

_____

(4) It's warm in spring. I like spring.

_____

(5) It snowed yesterday. It was cold.

_____

(6) It's cold today. Put on more clothes.

_____

三 交际练习 Communicative Exercise

向你的同学介绍你所在的城市四季的气候特征，并仿照例句写下来。Talk with your classmates about the climatic features of the city you live, and try to write them down following the example below.

例：E.g.：青岛 (Qingdao)
Qīngdǎo
春天 很 暖和，不 冷 也 不 热，气温 常常 是 10 度 到 20
chūntiān hěn nuǎnhuo, bù lěng yě bú rè, qìwēn chángcháng shì shí dù dào èrshí
度。青岛 夏天 也 不 热，常常 下 雨。青岛 秋天 很 凉快 (cool)，气温 不 高 也
dù. Qīngdǎo xiàtiān yě bú rè, chángcháng xià yǔ. Qīngdǎo qiūtiān hěn liángkuai, qìwēn bù gāo yě
不 低。青岛 冬天 不 冷，很 少 下 雪。
bù dī. Qīngdǎo dōngtiān bù lěng, hěn shǎo xià xuě.

记录最近一周的天气情况，填在下面的表格里。Write down the weather conditions of the past week in the form below.

日期 Date	星期 Day of the Week	天气 Weather	气温 Temperature	句子 Sentence
6月2日／ Liùyuè èr rì	星期一／ Xīngqīyī	晴天／ qíngtiān	16～20℃／ 16度到20度／ shíliù dù dào èrshí dù	今天6月2日，星期一，晴天，气温16度到20度。／ Jīntiān Liùyuè èr rì, Xīngqīyī, qíngtiān, qìwēn shíliù dù dào èrshí dù.

Nǐ gǎnmào le
你感冒了
You've got a cold

一 词汇练习 Vocabulary Exercises

1. 给下列词语加拼音，然后朗读。Write down the *pinyin* of the following words and then read them aloud.

(1) 可能 ___kěnéng___　　(2) 生病 _____　　(3) 嗓子 _____

(4) 体温 _____　　(5) 发烧 _____　　(6) 感冒 _____

(7) 休息 _____　　(8) 上学 _____　　(9) 怎么了 _____

2. 连线并朗读。Match the words in the two lines and read the phrases aloud.

tóu	liáng	zài jiā	chī	qù
头	量	在家	吃	去

tǐwēn	yào	téng	shàng xué	xiūxi
体温	药	疼	上 学	休息

二 语法练习 Grammar Exercises

1. 给下列动词搭配合适的宾语，然后把动词短语变成重叠式。Add an object to each verb below and then change the verbal phrase into its reduplicated form.

(1) 量体温 / tǐwēn　　　　量量体温 / liángliang tǐwēn

(2) 看 _____　　　　_____

(3) 听 _____　　　　_____

(4) 上 _____　　　　_____

(5) 跑 _____　　　　_____

(6) 唱 _____　　　　_____

2. 用下列词语组成句子，然后朗读。注意把"在"放到正确的位置。Unscramble the words to make sentences and then read the sentences aloud. Pay attention to the position of "在".

　　　　Wáng dàifu　zài　gōngzuò　nà jiā　yīyuàn
(1) 王　大夫　在　工作　那家　医院

___王大夫在那家医院工作。___ / ___Wáng dàifu zài nà jiā yīyuàn gōngzuò.___
_____

(2) 我 明天 休息 家 在
  wǒ míngtiān xiūxi jiā zài

_____

(3) 超市 面包 买 在 大卫
  chāoshì miànbāo mǎi zài Dàwèi

_____

(4) 在 他们 踢 学校 足球
  zài tāmen tī xuéxiào zúqiú

_____

(5) 剧院 京剧 在 看 爷爷
  jùyuàn jīngjù zài kàn yéye

_____

(6) 刘 小双 在 游泳 体育馆
  Liú Xiǎoshuāng zài yóuyǒng tǐyùguǎn

_____

三 交际练习 Communicative Exercise

根据图片完成对话。 Complete the dialogues based on the pictures.

(1) A：妈妈 在 哪儿 做 饭 (to cook)？
  Māma zài nǎr zuò fàn?

 B：妈妈在厨房做饭。 / Māma zài chúfáng zuò fàn.

(2) A：安妮 在 哪儿？
  Ānni zài nǎr?

 B：_____

(3) A：你 在 哪儿 工作？
  Nǐ zài nǎr gōngzuò?

 B：_____

(4) A：现在 天气 怎么样？
  Xiànzài tiānqì zěnmeyàng?

 B：_____

(5) A：_____

       Wǒ gǎnmào le.

   B：我 感冒 了。

(6) A：_____

       Tā shēng qì   le.

   B：她 生 气（to be angry）了。

四 **汉字练习** Exercise on Chinese Characters

描写汉字。Trace and copy the characters.

几	几	几	几	几	几			
机	机	机	机	机	机			
没	没	没	没	没	没			

Tā zěnme le
他怎么了
What's the matter with him

词汇练习　Vocabulary Exercises

- -

1. 给下列词语加拼音，连线并朗读。Write down the *pinyin* of the following words, match the words with their meanings, and read them aloud.

shēng qì
生气　　　　　困　　　　　累　　　　　生病　　　　　发烧

sleepy　　　　to be angry　　　to be sick　　　to have a fever　　　tired

2. 写出你学过的表示生病及其症状的词语，越多越好。Write down the words you've learned about illnesses and their symptoms. The more, the better.

发烧 / fā shāo　　　_____　　_____　　_____

_____　　_____　　_____　　_____

语法练习　Grammar Exercises

- -

1. 选词填空并朗读。Choose a word to fill in each blank and read the sentences aloud.

> le　　　　diǎnr　　　　xūyào　　　　kěnéng　　　　nǎr　　　　qù
> a. 了　　b. 点儿　　c. 需要　　d. 可能　　e. 哪儿　　f. 去

Nǐ　　　　　fā shāo le, qù yīyuàn kànkan ba.
(1) 你 ___*d*___ 发烧了，去医院看看吧。

Zuótiān tā xiǎng qù shāngdiàn, jīntiān tā bù xiǎng qù
(2) 昨天 她 想 去 商店，今天 她 不 想 去 _____。

Nǐ shēng bìng le, chī　　　　yào ba.
(3) 你 生 病 了，吃 _____ 药 吧。

Tā　　　　bù shūfu?
(4) 他 _____ 不 舒服？

Nǎinai bù　　　　gōngyuán, tā　　　　jùyuàn kàn jīngjù.
(5) 奶奶 不 _____ 公园，她 _____ 剧院 看 京剧。

Tā dùzi téng,　　　　zài jiā xiūxi.
(6) 他 肚子 疼，_____ 在 家 休息。

2. 把下列句子翻译成中文，然后朗读。注意"了"的用法。Translate the following sentences into Chinese and then read them aloud. Pay attention to how "了" is used.

(1) You're probably sick. Let's go to the hospital.

你可能生病了，我们去医院吧。/ Nǐ kěnéng shēng bìng le, wǒmen qù yīyuàn ba.

(2) I've caught a cold. I'm feeling unwell.

_____

(3) Tomorrow is Saturday. We won't go to school.

_____

(4) It gets windy. Put on more clothes.

_____

(5) You are running a fever. Take your temperature.

_____

(6) It's overcast now. It will probably rain.

_____

三 交际练习 Communicative Exercise

根据图片完成对话。 Complete the dialogue based on the picture.

　　　　Nǐ
A：你 怎么了 / zěnme le _____？

　　　Wǒ bù shūfu.
B：我 不 舒服。

A：_____

　　　Wǒ tóu téng、 dùzi téng.
B：我 头 疼、肚子 疼。

　　　Nǐ
A：你 _____？

　　　Wǒ chīle bàn jīn jiǎozi、 yí ge hànbǎo、 liǎng kuài bǐsàbǐng, hēle yì bēi dòujiāng ……
B：我 吃了半斤 饺子、一个 汉堡、 两 块 比萨饼，喝了一杯 豆浆……

　　　Nǐ kěnéng chī duō le　　　　　　　　　　　　　　　 ba.
A：你 可能 吃多了。_____吧。

　　　Hǎo de. Xièxie yīshēng.
B：好 的。谢谢 医生。

　　　Nǐ xūyào
A：你 需要 _____。

　　　Hǎo de, nà wǒ míngtiān
B：好 的，那 我 明天_____。

四 任务活动 Task/Activity

假设你感冒发烧了，要去医院看病，完成你和医生之间的对话。 Suppose you are suffering from a cold and a fever and will see a doctor. Complete the dialogue between the doctor and you.

　Yīshēng:
医生： 你怎么了？ / Nǐ zěnme le? _____

"Wǒ": Wǒ gǎnmào le, hái yǒudiǎnr

"我": 我 感冒了，还有点儿＿＿＿＿＿＿＿＿＿＿＿＿＿＿＿＿＿。

Yīshēng: ...... Nǐ fā shāo le.

医生: ＿＿＿＿＿＿＿＿＿＿＿＿＿＿＿＿。……你发 烧 了。

"Wǒ": Wǒ xūyào chī yào ma?

"我": 我 需要吃 药 吗?

Yīshēng: hái yào xiūxi jǐ tiān.

医生: ＿＿＿＿＿＿＿＿＿＿，还要＿＿＿＿＿＿＿＿＿＿休息几天。

"Wǒ":

"我": ＿＿＿＿＿＿＿＿＿＿＿＿＿＿＿＿＿＿＿

Lesson 37

Tāmen zài zuò shénme

他们在做什么

What are they doing

一 词汇练习 Vocabulary Exercises

---

1. 给下列词语加拼音，连线并朗读。Write down the *pinyin* of the following words, match the words with their meanings, and read them aloud.

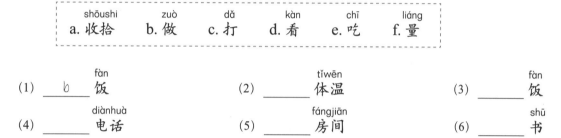

zhèngzài zài				
正在 / 在	房间	小猫	它	吃饭

to have a meal	in the course of	it	room	kitty

2. 选词填空并朗读。Choose a word to fill in each blank and read the phrases aloud.

shōushi	zuò	dǎ	kàn	chī	liáng
a. 收拾	b. 做	c. 打	d. 看	e. 吃	f. 量

        fàn   tǐwēn   fàn

(1) __b__ 饭   (2) _____ 体温   (3) _____ 饭

        diànhuà   fángjiān   shū

(4) _____ 电话   (5) _____ 房间   (6) _____ 书

二 语法练习 Grammar Exercises

---

1. 根据图片写句子，然后朗读。Write sentences based on the pictures and then read them aloud.

(1) 爸爸正在打电话。/ Bàba zhèngzài dǎ diànhuà.   (2) _____

(3) _____   (4) _____

(5) _____

(6) _____

2. 用下列词语组成句子，然后朗读。Unscramble the words/phrases to make sentences and then read the sentences aloud.

(1)
zhèngzài　Lín Mù　shàng bān
正在　林木　上班
林木正在上班。/ Lín Mù zhèngzài shàng bān.

(2)
tāmen　ne　dǎ　zhèngzài　lánqiú
他们　呢　打　正在　篮球
_____

(3)
Wáng Fāngfāng　chàng gē　zài
王　方方　唱歌　在
_____

(4)
zài　dìdi　shuì jiào　ne
在　弟弟　睡觉　呢
_____

(5)
Dīng Shān　wēibó　xiě　zhèngzài
丁　山　微博　写　正在
_____

(6)
wǒ　jiějie　ne　yuēhuì　zhèng
我　姐姐　呢　约会　正
_____

三 交际练习　Communicative Exercise

根据图片完成对话。Complete the dialogues based on the pictures.

(1) A：
Tāmen zài zuò shénme?
他们 在 做 什么？

B：他们在看电影。/ Tāmen zài kàn diànyǐng.

(2) A：
Tā zhèngzài zuò shénme?
他 正在 做 什么？

B：_____

(3) A：
Tā zài zuò shénme ne?
她 在 做 什么 呢？

B：_____

(4) A：
Tāmen zhèngzài zuò shénme ne?
他们 正在 做 什么 呢?

B：_____

四 汉字练习 Exercise on Chinese Characters

描写汉字。Trace and copy the characters.

生	生	生	生	生	生			
姓	姓	姓	姓	姓	姓			
星	星	星	星	星	星			

Yéye   zái dǎ   tàijíquán

爷爷在打太极拳

Grandpa is practicing *taijiquan*

一 词汇练习 Vocabulary Exercises

---

1. 给下列词语加拼音，连线并朗读。Write down the *pinyin* of the following words, match the words with their meanings, and read them aloud.

lǐ fà
理发   回答   收拾   画画儿   学习

to tidy   to study   to draw, to paint   to get a haircut   to answer

2. 选词填空并朗读。Choose a word to fill in each blank and read the phrases aloud.

> Hànyǔ   wèntí   diànhuà   huàr   Hànzì   tàijíquán
> a. 汉语   b. 问题   c. 电话   d. 画儿   e. 汉字   f. 太极拳

dǎ
(1) 打 ___f___

huà
(2) 画 _____

xuéxí
(3) 学习 _____

huídá
(4) 回答 _____

xiě
(5) 写 _____

dǎ
(6) 打 _____

二 语法练习 Grammar Exercises

---

1. 朗读下列句子，然后根据"在"的意思为句子分类。Read the following sentences aloud and then categorize them into three groups based on the meanings of "在".

Bàba   bú zài jiā li.
(1) 爸爸 不 在 家 里。

Tāmen   zài tī   zúqiú.
(2) 他们 在 踢 足球。

Nǐ de diànnǎo zài zhuōzi shang.
(3) 你的 电脑 在 桌子 上。

Gēge   zài tǐyùguǎn jiànshēn.
(4) 哥哥 在 体育馆 健身。

Wǒmen zài chī fàn ne.
(5) 我们 在 吃 饭 呢。

Māma zài chāoshì mǎi dōngxi ne.
(6) 妈妈 在 超市 买 东西 呢。

在	v.	to be in/on/at	(1)
在	prep.	in/on/at	
在	adv.	in the course of	

2.为括号里的词语选择合适的位置，然后朗读。Choose the proper position for each word in the bracket and then read the sentences aloud.

(1) ____a__ 妹妹 _b__ 上 网 ___c___ 写 微博。（正在）
      mèimei   *shàng wǎng*   *xiě wēibó.*   *zhèngzài*

(2) 丁 山 __a__ 不 在 银 行 _b__，他 在 超 市 买 草 莓 ___c___。（呢）
   Dīng Shān *bú zài yínháng*   *tā zài chāoshì mǎi cǎoméi*   *ne*

(3) ___a__ 我 姐 姐 _b__ 和 男 朋 友 ___c___ 听 音 乐 会 呢！（正）
    wǒ jiějie   *hé nánpéngyou*   *tīng yīnyuèhuì ne!* *zhèng*

(4) 大 卫 __a___ 和 他 的 朋 友 _b___ 颐 和 园 ___c___ 玩 儿 呢！（在）
   Dàwèi   *hé tā de péngyou*   *Yíhé Yuán*   *wánr ne!* *zài*

(5) 下 雪 __a___，你 多 穿 _b__ 点 儿 衣 服 ___c___。（了）
   Xià xuě   *nǐ duō chuān*   *diǎnr yīfu*   *le*

(6) 我 ___a___ 明 天 去 _b__ 商 店 ___c___ 买 运 动 鞋。（打算）
  Wǒ   *míngtiān qù*   *shāngdiàn*   *mǎi yùndòngxié.* *dǎsuàn*

三 交际练习 Communicative Exercise

根据图片完成对话。Complete the dialogue based on the picture.

A：爷爷 在 做 什么？
  Yéye *zài zuò shénme?*

B：爷爷（正）在 打 太 极 拳。/ *Yéye (zhèng) zài dǎ tàijíquán.*

A：奶奶 正在 做 什么？
  Nǎinai zhèngzài zuò shénme?

B：_____

A：妈妈 在 做 什么？
  Māma zài zuò shénme?

B：_____

A：爸爸 正在 做 什么？
  Bàba zhèngzài zuò shénme?

B：_____

A：哥哥 在 做 什么？
  Gēge zài zuò shénme?

B：_____

四 任务活动 Task/Activity

去学校操场、公园、广场等人群聚集的地方拍一张照片，回来写一写照片上的人都在做什么。
Go to a place where people gather, such as a campus playground, a park or a square, and take a photo. Then write down what the people in the photo are doing.

Fángjiān shōushi wán le

房间收拾完了

The room has been tidied up

一 词汇练习 Vocabulary Exercises

1. 给下列词语加拼音，连线并朗读。Write down the *pinyin* of the following words, match the words with their meanings, and read them aloud.

gānjìng
干净　　　洗车　　　作业　　　儿子　　　晚饭　　　擦

son　　　homework　　clean　　　dinner　　to wipe　　to wash a car

2. 连线并朗读。Match the words in the two lines and read them aloud.

cā　　　　shōushi　　　xǐ　　　　xiě　　　　kàn　　　　xué
擦　　　　收拾　　　　洗　　　　写　　　　看　　　　学

chē　　　zuòyè　　　zhuōzi　　　Hànyǔ　　　fángjiān　　shū
车　　　　作业　　　桌子　　　汉语　　　房间　　　书

二 语法练习 Grammar Exercises

1. 选词填空并朗读。Choose a word to fill in each blank and read the sentences aloud.

> hǎo　　　gānjìng　　　wán
> a. 好　　b. 干净　　c. 完

Zhè běn shū kàn　　le.
(1) 这本书看_c_了。

Yīfu xǐ　　le.
(2) 衣服洗____了。

Zuòyè xiě　　le.
(3) 作业写____了。

Miàntiáor zuò　　le, nǐ chī ba.
(4) 面条儿做____了，你吃吧。

Dòujiāng hē　　le, zài lái yì bēi.
(5) 豆浆喝____了，再来一杯。

Wòshì shōushi　　le, zhēn gānjìng!
(6) 卧室收拾____了，真干净！

2. 用下列词语组成句子，然后朗读。Unscramble the words/phrases to make sentences and then read the sentences aloud.

gānjìng cānzhuō cā le
(1) 干净　餐桌　擦　了　　　　　餐桌擦干净了。/ Cānzhuō cā gānjìng le.

chī le cǎoméi wán
(2) 吃　了　草莓　完　　　　　_____

nàge xiě Hànzì cuò méi
(3) 那个　写　汉字　错　没　　　_____

zhè běn kàn le shū wán
(4) 这本　看　了　书　完　　　　_____

(5) 小明　的　没　写　作业　完

　　Xiǎomíng de méi xiě zuòyè wán

＿＿＿＿＿＿＿＿＿＿＿＿＿＿

(6) 错　你　看　了　他　林木　不是

　　cuò nǐ kàn le tā Lín Mù bú shì

＿＿＿＿＿＿＿＿＿＿＿＿＿＿

三 **交际练习** Communicative Exercise

根据图片完成对话。 Complete the dialogues based on the pictures.

(1) A：
　Zhège Hànzì wǒ xiěduì le ma?
　这个 汉字 我 写对 了 吗?

　B：这个汉字你写对了。/ Zhège Hànzì nǐ xiěduì le.

(2) A：
　Nǐ zuòyè xiěwán le ma?
　你 作业 写完 了 吗?

　B：＿＿＿＿＿＿＿＿＿＿

(3) A：＿＿＿＿＿＿＿＿＿＿
　Dàyī xǐhǎo le.
　B：大衣 洗好 了。

(4) A：＿＿＿＿＿＿＿＿＿＿
　Xīhóngshì xǐ gānjìng le.
　B：西红柿 洗 干净 了。

四 **汉字练习** Exercise on Chinese Characters

描写汉字。 Trace and copy the characters.

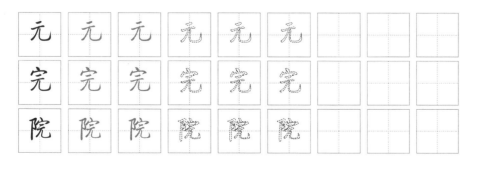

111

Bàba   tīngdǒng   le
爸爸听懂了
My father understood what he heard

一   词汇练习 __ Vocabulary Exercises

1. 给下列词语加拼音，连线并朗读。Write down the *pinyin* of the following words, match the words with their meanings, and read them aloud.

kètīng
客厅   卧室   沙发   椅子   桌子   衣柜

chair   wardrobe   table   living room   sofa   bedroom

2. 选词填空并朗读。Choose a word/words to fill in each blank and read the phrases aloud.

> duì   cuò   qīngchu   bǎo   dǒng   wán
> a. 对   b. 错   c. 清楚   d. 饱   e. 懂   f. 完

tīng le	shuō le	kàn le
(1) 听 _c/e_ 了	(2) 说_____了	(3) 看_____了
xiě le	chī le	xǐ le
(4) 写_____了	(5) 吃_____了	(6) 洗_____了

二   语法练习 __ Grammar Exercises

1. 用"不"或"没"完成句子，然后朗读。Use "不" or "没" to complete the sentences and then read them aloud.

Zuótiān tā   qù gōngsī shàng bān.
(1) 昨天他 _没_ 去公司上班。

Míngtiān Dàwèi   lái le.
(2) 明天 大卫____来了。

Jīngjù   kànwán, nǎinai jiù   huí jiā le.
(3) 京剧____看完，奶奶就 (then) 回家了。

Xià ge xīngqī wǒ   qù Shànghǎi le.
(4) 下个星期我____去上海了。

Wǎnshang jiǔ diǎn bàn le, tā hái   chī wǎnfàn.
(5) 晚上 九点半了，他还____吃晚饭。

Míngtiān   guā fēng, kěnéng huì xià yǔ.
(6) 明天____刮风，可能会下雨。

2. 把下列肯定句变成否定句，否定句变成肯定句，然后朗读。Turn the affirmative sentences into negative ones and negative sentences into affirmative ones. Then read them aloud.

Fángjiān dǎsǎo wán le.
(1) 房间 打扫完了。   →   *房间没打扫完。/ Fángjiān méi dǎsǎo wán.*

Wǒ tīng qīngchu le.
(2) 我 听 清楚了。   →   _____

Tā shuōcuò le.
(3) 他 说错 了。 → _____

Pánzi méi xǐ gānjìng.
(4) 盘子 没 洗 干净。 → _____

Wǒ méi chībǎo.
(5) 我 没 吃饱。 → _____

Zhè běn shū wǒ méi kàndǒng.
(6) 这 本 书 我 没 看懂。 → _____

三 交际练习 Communicative Exercise

根据实际情况回答问题。 Answer the questions based on the real situations.

Zhè běn shū nǐ xuéwán le ma?
(1) 这 本 书 你 学完 了 吗?

Zhè běn shū de yǔfǎ nǐ dōu xuéhuì le ma?
(2) 这 本 书 的 语法 (grammar) 你 都 学会 了 吗?

Kèwén nǐ dōu jìzhù le ma?
(3) 课文 你 都 记住 了 吗?

Zhōngguórén shuō huà, nǐ dōu néng tīngdǒng le ma?
(4) 中国人 说 话,你 都 能 (can, to be able to) 听懂 了 吗?

Nǐ Hànyǔ xuéhǎo le ma?
(5) 你 汉语 学好 了 吗?

四 任务活动 Task/Activity

给自己制订一个周末的时间计划表，然后把完成了和没完成的事情都记录在表格里。

Make your own schedule for the weekend. Then write down the things you've done and those you haven't in the form below.

时间 Time	事情 Work	是否完成 Done/Not	总结 Conclusion
周六早上／ Zhōuliù zǎoshang	打扫房间／ dǎsǎo fángjiān	√	房间打扫完了。／ Fángjiān dǎsǎo wán le.

图书在版编目 (CIP) 数据

新概念汉语（英语版）练习册 . 1 / 崔永华主编 . —
北京：北京语言大学出版社，2014.11
ISBN 978-7-5619-3933-8

Ⅰ . ①新… Ⅱ . ①崔… Ⅲ . ①汉语－对外汉语教学－
习题集 Ⅳ . ① H195.4

中国版本图书馆 CIP 数据核字（2014）第 201712 号

书　　名：新概念汉语（英语版）练习册 1
　　　　　XIN GAINIAN HANYU (YINGYU BAN) LIANXICE 1
装帧设计：［美］Mila Ryk　张　静
插图绘制：刘　谱
中文编辑：黄　英　付彦白
英文编辑：侯晓娟
责任印制：姜正周

出版发行：北京语言大学出版社
社　　址：北京市海淀区学院路 15 号　　邮政编码：100083
网　　址：www.blcup.com
编 辑 部：8610-8230 3647/3592/3395
国内发行：8610-8230 3650/3591/3648
海外发行：8610-8230 0309/3651/3080
读者服务部：8610-8230 3653
网上订购：8610-8230 3908　service@blcup.com
印　　刷：保定市中画美凯印刷有限公司
经　　销：全国新华书店
版　　次：2014 年 11 月第 1 版　　2014 年 11 月第 1 次印刷
开　　本：889mm x 1194mm　　1/16　印张：7.5
字　　数：198 千字
书　　号：ISBN 978-7-5619-3933-8/H·14205
　　　　　03900

Printed in China